*l*ibretto

AVENTURES EN LOIRE

BERNARD OLLIVIER

AVENTURES EN LOIRE

1 000 km à pied et en canoë

*l*ibretto

CE LIVRE A ÉTÉ ÉDITÉ PAR
MADAME AGNÈS MONNERET

Six jours après avoir pris sa retraite, en avril 1998, déprimé et inconsolable de la mort de sa femme, ses enfants devenus adultes, Bernard Ollivier part à pied de Paris jusqu'à Compostelle afin de décider de ce qu'il va faire de sa vie. Arrivé au but, après 2 300 kilomètres parcourus, il revient avec deux projets : s'occuper de jeunes en grande difficulté en les reconstruisant par la marche, comme il vient de le faire pour lui-même, et continuer à avancer sur une route d'Histoire. Il entame en avril 1999 le voyage à pied sur la route de la Soie (12 000 kilomètres) et donne naissance en 2000 à l'association Seuil, dédiée à l'aide aux jeunes délinquants, qui leur propose le voyage comme une alternative à la prison.

À Bénédicte

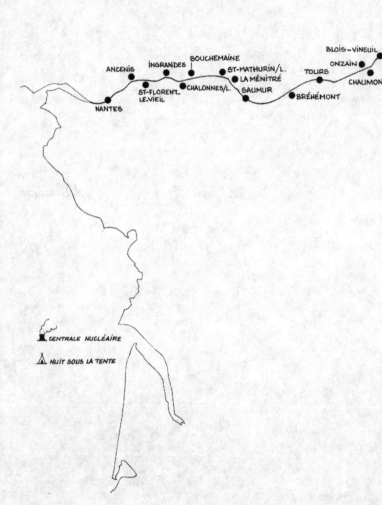

ANCENIS
INGRANDES
BOUCHEMAINE
BLOIS – VINEUIL
ONZAIN
St-MATHURIN/L.
TOURS
CHAUMONT/
ST-FLORENT.
LE·VIEIL
CHALONNES/L.
LA MÉNITRÉ
SAUMUR
BRÉHÉMONT
NANTES

CENTRALE NUCLÉAIRE

NUIT SOUS LA TENTE

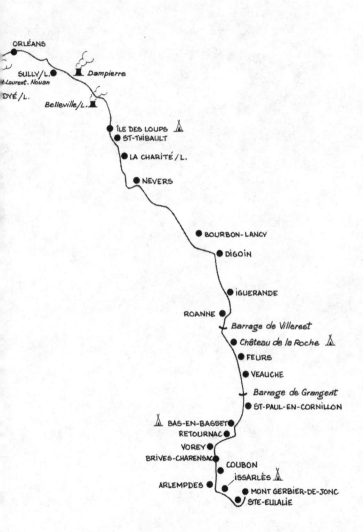

ORLÉANS

SULLY/L.
t-Laurent. Nouan
DYÉ/L.

Dampierre

Belleville/L.

ÎLE DES LOUPS
ST-THIBAULT

LA CHARITÉ/L.

NEVERS

BOURBON-LANCY

DIGOIN

IGUERANDE

ROANNE
Barrage de Villerest
Château de la Roche
FEURS
VEAUCHE
Barrage de Grangent
ST-PAUL-EN-CORNILLON
BAS-EN-BASSET
RETOURNAC
VOREY
BRIVES-CHARENSAC
COUBON
ISSARLÈS
ARLEMPDES
MONT GERBIER-DE-JONC
STE-EULALIE

PROLOGUE

Pour une fois, il faisait beau. L'eau du fleuve était limpide. Un ragondin avait bien percé un gros trou dans le sac caché au fond du canoë, à la recherche de la nourriture que je conservais au cas où... Mais bah, cela n'allait pas altérer ma bonne humeur après l'accueil magnifique que m'avaient offert Michèle et François Bon. Sous leurs yeux étonnés, avec de vieilles ficelles de lieuses élimées par les services rendus depuis plusieurs semaines, j'ai attaché mes deux sacs de plastique et mon bidon étanche au canoë, m'attirant un ironique «C'est un voyage de bouts de ficelle». Les préparatifs achevés, j'ai embrassé Michèle, serré la main de François de ma pogne calleuse après ces dizaines d'heures de pagayage sur la Loire et sauté – avec précaution – dans mon esquif.

En deux coups de rame, je me dirige vers le vieux pont de pierre de Tours rebaptisé «Wilson» et adresse un dernier geste d'adieu à mes amis avant de glisser vers les arches. Instant de bonheur renouvelé chaque fois que j'embarque, sensation magique d'être porté et de filer sur l'onde, de maîtriser les éléments. Pour repérer où se trouve le meilleur

15

passage possible, je me mets debout. Pas de doute, c'est sous la troisième voûte que coule le flux, pas de rocher visible, pas d'arbre… Le tout est de me présenter bien en ligne et d'accélérer l'allure pour surfer sur la chute d'eau puissante mais de faible hauteur. Un jeu d'enfant que j'ai déjà réussi cent fois.

Je m'engage sous le pont. Le courant est fort, impétueux. Alors que le flux m'emporte déjà, une brusque rafale de vent, renforcée par l'arche étroite qui agit comme un entonnoir, me cloue sur place. Le canoë, figé par la véhémence de la bourrasque, s'arrête presque puis s'aventure lentement sur la chute, haute d'une cinquantaine de centimètres. Je donne un vigoureux coup de rame pour me relancer. Trop tard, l'avant du bateau se pose doucement sous le rouleau bouillonnant. Bizarrement, il me semble que tout se passe au ralenti alors que la violence est extrême, l'action brutale. Chaque détail s'imprime sur ma rétine et dans ma mémoire. Le flot s'engouffre et remplit la barque en une seconde. Je suis éjecté. Le choc est si rude que je lâche canoë et pagaie, le remous m'avale, me secoue, me jette au fond. Lorsque j'émerge, le bateau roule brutalement, prisonnier de la cataracte, projetant mes sacs et mon bidon à hue et à dia. La pagaie file dans le courant. Sans elle, je suis manchot. En deux brasses, je la rattrape et l'agrippe, puis reviens vers mon embarcation piégée par les rouleaux. Comment la sortir de là ? À l'instant où je l'empoigne, je suis brusquement aspiré vers le fond par un puissant tourbillon. L'une des deux longues cordes fixées à l'avant et à l'arrière du canoë s'enroule autour de ma jambe. Elle est sans doute coincée au fond et c'est elle qui empêche le bateau de partir dans le courant et le maintient sous la cataracte. Ce fil à la patte m'empêche de remonter. Piégé ! J'étouffe et bois la tasse. Je panique une seconde. L'eau, chargée de sable et de boue, ne permet pas de voir ce qui me retient. D'une secousse, aussi violente que ma peur, je m'arrache au piège. En me libérant, j'ai libéré mon bateau. Je constaterai plus tard que la corde a entamé la chair et dessiné un anneau sanglant juste au-dessous du genou.

Sur l'instant, j'ai bien trop à faire pour pleurer sur un bobo. Dès que j'émerge, je me cramponne à l'une des roues du petit chariot qui sert aux portages, lorsque je dois faire un détour terrestre pour éviter un barrage. Je tire de toutes mes forces. À deux ou trois reprises, la brutalité de la chute m'arrache le pneu des mains, le bateau gigote, tressaute sous les coups du courant, tourne sur lui-même. Les remous, un instant, le relâchent. Je parviens enfin à faire glisser le naufragé vers l'aval. Comment le ramener à la rive ? Mon frêle et léger esquif rempli d'eau pèse désormais une demi-tonne. S'y ajoutent les trois sacs et le bidon qui dansent une gigue tout autour, heureusement retenus par les ficelles qui faisaient rire François il y a seulement quelques minutes. Nageant énergiquement sur le dos, le pneu du chariot dans une main, la pagaie dans l'autre, je donne de vifs coups de pied pour tirer la charge. J'y parviens, mais au prix d'un effort qui m'épuise. Très vite, je suis à court de souffle et de forces. Le courage, un instant, me manque. Il va falloir abandonner le bateau, le laisser partir dans le courant sous peine de risquer ma vie. Je tâcherai de le retrouver plus loin. Céder, oui j'en ai peur, mais pas encore. Tenir une seconde de plus. C'est la bonne. Soudainement, le fleuve lâche prise, l'étau se desserre. Je m'éloigne des remous. Je peux nager moins vite, moins fort, économiser l'oxygène qui venait à me manquer, récupérer un peu de souffle. Alors que j'approche de la rive, François saute dans l'eau à pieds joints et m'aide à tirer le bateau sur la grève. Il me faut quelques minutes pour retrouver l'usage de la parole.

À voir le visage de mes amis, je devine qu'ils ont eu plus peur que moi qui avais d'autres chats à fouetter, là-bas, dans les bouillonnements de la Loire. Le canoë vidé, je constate que les sacs et le bidon sont tous là. Une fois de plus manque l'écope, une bouteille de soda en plastique que j'ai décapitée afin de garder les pieds relativement au sec lorsque mon esquif prend l'eau du ciel ou de la rivière. Tant pis, j'en trouverai une autre.

Un peu honteux de ce départ raté, le souffle retrouvé, je fais une nouvelle fois mes adieux et me revoici sur le fleuve, m'apostrophant sans aménité : « Vieil idiot, tu as bien failli y rester cette fois-ci. Ça t'apprendra, à 70 ans passés, à jouer les jeunes intrépides. Quelle erreur de pilotage as-tu faite ? Trois semaines d'apprentissage en Haute-Loire ne t'ont pas suffi à anticiper les pièges du fleuve ? Si seulement tu avais enfilé ton gilet de sauvetage… » Quelques méandres plus loin, j'éclate de rire. Flottant au fil du courant, le nez en bas, maintenue à la surface par une bulle d'air, mon écope sautille au gré des petites vagues que le vent soulève. Je l'attrape au passage. Me voilà de nouveau à flot moi aussi. Et le moral revient.

Après tout, si aujourd'hui je suis encore inexpérimenté, voici trois semaines j'ignorais tout des canoës et de la navigation sur un fleuve. Il y a un mois, je contemplais une des sources de la Loire et m'apprêtais à la suivre, d'abord à pied puis en bateau jusqu'à Nantes. L'expédition a bien failli s'arrêter ici sous le pont Wilson. Mais si je fais le compte des pépins et des bons moments depuis le mont Gerbier-de-Jonc, je suis riche de mille bonheurs, de dizaines de belles rencontres et il en reste encore des palanquées devant moi.

Allez, va donc, vieux, pagaie !

I

MARCHER AU « CANON »

On dit que les fleuves ne remontent pas à la source. Heureusement pour la Loire, car elle serait comme moi ce 4 août 2008 bien embarrassée. Quand j'ai demandé à Violaine, la serveuse du restaurant aux deux jolies couettes tressées comme des cornes, où se trouvait la source, elle m'a répondu :

– Là, en bas. C'est la véritable.

– Ah ? Parce qu'il y en a une fausse ?

– Il y en a plusieurs.

La Loire est un fleuve-trinité. Elle a trois sources, au moins : la « véritable », « l'authentique » et la « géographique », toutes trois rassemblées au pied du mont Gerbier-de-Jonc. Un drôle de nom. À l'école, nous disions « Gerbier-des-Joncs », tant il apparaissait évident qu'il y avait plus d'une tige au pied du mont en question. Mais les cartes sont formelles, il n'y a qu'un jonc. C'est là que je me trouve, sans aucune erreur possible. Près d'une barrière, un panneau, affirme : « Accès au mont Gerbier-de-Jonc », « Site privé ». Un homme vend des billets autorisant à emprunter un petit sentier de chèvres qui grimpe vers la cime. Je me mêle aux candidats à l'ascension assez nombreux, mais achète un ticket juste pour le souvenir. Si je me dispense de monter, c'est que je suis là pour descendre. Descendre la Loire tout du long, de ce filet d'eau qui glouglloute ici et court jusqu'à Nantes avant de se noyer dans l'Océan.

Quelle star, cette Loire! Demandez à la ronde où, la Seine, le Rhône, la Garonne, prennent-ils leur source? Rares sont ceux qui sauront répondre, mais pour la Loire… Plusieurs centaines de touristes sont là, en ce lundi de vacances. En short, T-shirt et lunettes noires, ils déambulent et se photographient. Il faut prouver qu'ils y sont allés.

Les sources de la Loire reçoivent cinq cent mille visiteurs par an. Avec un fleuve ordinaire, ce serait vite expédié : un coup d'œil à la source avant de remonter dans les voitures, garées sur plusieurs centaines de mètres au bord de la route goudronnée. Mais avec trois résurgences qui se prétendent toute la vraie source, il y a de quoi faire. Sous une longue rangée d'abris de toile, des forains vendent objets artisanaux, cartes postales, miel, confiture, vêtements siglés «Loire», évidemment, et même des descentes de lit en peaux de vache. Pour ne pas choquer les sensibilités des paisibles limousines rousses qui paissent près de là une herbe d'estive riche et goûtue, elles sont de couleur blanche, tachées de noir. Violaine, la petite serveuse, tout en apportant des bières aux clients attablés en terrasse, me confirme que le restaurant est ouvert toute l'année avec une brève interruption en hiver. Pas besoin de demander si les affaires sont bonnes, l'argent ici coule plus généreusement que l'eau de la source «véritable».

La deuxième «vraie» source se prénomme «géographique». Elle est, disent ses heureux propriétaires, la plus haute et la plus longue, donc la seule véritablement authentique. Elle jaillit d'un tuyau à l'intérieur d'une boutique de souvenirs qui fut grange dans une autre vie. On y remplit des bouteilles de plastique. Pour un peu on se croirait à Lourdes. Le restaurant voisin appartient à la même famille, autrefois paysanne, et ne désemplit pas.

Un peu plus loin, la troisième Loire qualifiée d'«authentique» bénéficie de moins d'affluence car elle est un peu éloignée des magasins. Je commande à Régine, la patronne du restaurant, une tarte aux myrtilles que je déguste sous l'œil coquin de ses deux petites filles, Noémie (6 ans) et Alice (3 ans et un magnifique cheveu sur la langue). Bien élevées, elles déclinent ma proposition de partage et vont à deux pas de là se chicaner en jouant à la marchande. Bon sang ne saurait mentir, autour de la source, toutes les grandes personnes jouent aussi à la marchande. Situé sous le restaurant, le ruisselet se jette tout de suite dans un minuscule étang. Devant la porte, un panneau affirme que, selon le plan cadastral de 1987, c'est incontestable : la vraie de vrai est bien là. Une immense planche de mélèze gravée et fraîchement vernie donne même la parole au filet d'eau : «Ici commence ma course vers l'Océan.» Qui pourrait douter après cela que la véritable, authentique, géographique source de la Loire est là, sous mes pieds, aussi vraie que la tarte aux myrtilles ? J'ai noté avec amusement que le monument érigé pour symboliser la Loire, quatre pierres cimentées flanquées d'une plaque gravée, a été construit par le Touring Club de France qui n'a sans doute pas de compétence particulière en matière de sources de fleuve. Mais je le trouve sympathique car il a été édifié en 1938, nous avons donc le même âge…

Les trois sources et surtout leurs propriétaires l'ont échappé belle. Tout près de là se situe la ligne de partage des eaux. En jaillissant à moins de 200 mètres vers l'est, elles auraient inexorablement glissé vers le Rhône et seraient restées des sources très ordinaires avec pour seules admiratrices les brebis et les chèvres. J'ai renoncé à comprendre quelle était la «vraie». D'autant que deux autres paysans revendiquent la paternité du fleuve, prétendant que la Loire jaillit dans leur pré. On les comprend, une source, ici, c'est une vraie pension alimentaire, qui dispense de traire les vaches deux fois par jour.

M'éloignant des touristes qui assistaient, fascinés, à la naissance d'un fleuve, j'ai suivi le filet d'eau «géographique» durant quelques mètres. Après avoir longé le mur de la grange où il gargouille dans une rigole cimentée, le bébé Loire traverse un jardin potager sur des morceaux de gouttière mis bout à bout. Il disparaît un instant dans un tuyau de plastique pour tomber dans une baignoire désaffectée qui sert d'abreuvoir aux bêtes. La gadoue provoquée par le piétinement des bovins m'empêche de poursuivre. L'eau se faufile entre les touffes d'herbe dans la pente, en un mince filet qui, très vite, n'est plus visible. On se reverra. En remontant vers la route, j'ai arraché une brindille à un sapin desséché et je l'ai lancée dans l'eau: «Le premier arrivé à Nantes.» Ce n'est qu'un simulacre de course. Elle a toutes les chances de gagner, la brindille, qui va courir sur le fleuve jour et nuit.

Après ce défi, j'ai tourné le dos à la foule et entamé ma descente vers l'embouchure. J'espère boucler le voyage en six semaines. Les premiers pas sont toujours accompagnés d'un doute: irai-je jusqu'au bout? Certes, je ne suis pas dans la jungle amazonienne, mais toute aventure comporte une part de risque. Et ce n'est pas parce que celle-ci se déroulera en pays «civilisé» qu'elle exclut les aléas.

***

La petite route bordée de pâquerettes serpente vers Sainte-Eulalie, ma première étape. Sur le chemin, je vais d'un pas prudent et léger. Tiendront-elles, mes vieilles articulations ? J'ai allégé le sac au maximum et prévu des distances conformes à mon grand âge. Pas plus de 25 kilomètres par jour. J'ai un problème à régler avec ma date de naissance. Suis-je encore assez volontaire et solide pour tenir jusqu'à Nantes ? À cette heure, la question est sans réponse. Ne suis-je pas, j'hésite à le dire, trop… âgé. Il y a quelque temps, j'ai commencé une sorte de dépression légère qui résultait de cette constatation : je devenais «vieux». Mot terrible, cousin d'effacement et fils de renoncement. Pourtant, j'accepte ce vocable et ce devenir. Je sens bien, depuis plusieurs années, que cette énergie qui m'a toujours propulsé vers le haut, et dont je disais que plus on en dépense, plus on en a, s'épuise malgré tout, lentement. Un épanchement goutte à goutte. Mes muscles crient vite grâce. Mes genoux ont flanché en descendant du mont Blanc en septembre 2005 et, durant deux longues années, m'ont refusé du service pour la marche et la course à pied. Tout comme j'ai compris, à 40 ans, que je n'étais pas indestructible, j'ai désormais pris conscience que, peu à peu, mes forces m'abandonneront. Mes neurones eux-mêmes se font la malle. Ma mémoire et ma concentration qui n'ont jamais été brillantes me trahissent un peu plus chaque année. Approche l'heure où je devrai céder la place. Mais comment ? Irai-je prendre un «repos bien mérité» sous les arbres que j'ai plantés ? Mérité, ce n'est pas le mot. On devrait dire un «repos forcé», comme les travaux. Je ne veux pas me reposer. Il n'est de repos que dans la mort. Je ne la crains pas, elle, ou plutôt je ne la crains plus. Mais la vieillesse ?

Cette vieillesse insidieuse, silencieuse, cette décrépitude qui gagne, millimètre par millimètre jusqu'au bord du cimetière. Je veux bien que la mort vienne. Je ne veux pas que la vieillesse me prenne, qu'elle m'ôte, sans que je m'en rende compte, les forces, l'appétit, la virilité, l'énergie, la vitalité. À l'exception de quelques veinards à qui la Camarde, d'un seul grand coup de faux, tranche le fil de la vie, combien sont poussés tout doucement, presque à leur insu, vers la visite hebdomadaire du médecin, puis celle quotidienne de la garde-malade, en passant par le déambulateur, puis le centre de soins, avant, enfin, le repos, le grand, l'éternel. Je sais tout cela et depuis six mois, depuis mon dernier anniversaire, j'y réfléchis beaucoup. J'ai pesé le poids de mes ans, d'une vie merveilleuse. J'attends sereinement la mort. Mais la vieillesse, je ne vais pas lui tracer la route, lui faciliter la tâche. Je vais me défendre. Elle gagnera sans doute. Mais sans moi. Jusqu'au bout de mes forces, je veux garder ma liberté d'agir, de découvrir, de m'émouvoir et d'aimer.

Je ne sais quel a été le déclencheur de ce sursaut, voici un peu plus d'un an. Je ne sais ce qui a provoqué cette révolte. « Non mais, sans blague ! Vieux ? On va bien voir ! » Pendant plusieurs années, tout mon temps absorbé par l'association Seuil et quelques travaux d'écriture, je n'ai guère bougé [1]. Si j'excepte un nouveau voyage sur la route de la Soie et l'ascension du mont Blanc, je suis, depuis quatre ans, en train de devenir un petit retraité popote. Il me manquait la marche, la solitude, le dépouillement et

1. Voir la note sur l'association Seuil, en fin de volume.

cette trouille qui vous saisit avant le premier pas sur un chemin inconnu.

Il ne s'agit pas d'opposer solitude et convivialité. Elles sont complémentaires. Sans la solitude du chemin, pas de réflexion, pas de pensées profondes, pas de joies singulières. C'est d'elle que l'appétit de compagnie se nourrit. Il faut que je remplisse mon estomac pour marcher mais, quand j'ai bien pérégriné, il réclame sa provende. Il en va de même pour le rapport aux autres. Le paradoxe n'est qu'apparent. Si je pars seul, c'est pour mieux me saouler de contacts avec mes frères humains. Je suis un affamé de rencontres. Riche de nombreux amis, j'ai sur ce point le travers des riches : jamais assez. En cheminant vers Nantes, j'espère bien gonfler mon magot, aller vers les hommes et les femmes de cette vallée d'histoire, d'art et de nectars, sceller des amitiés neuves en sirotant un « canon », comme on dit ici. Je me fais petit soldat de l'aventure ligérienne (j'ignorais cet adjectif qui se rapporte à la Loire) et le projet me va : je vais marcher au canon. Tâche d'autant plus facile que, de la source à l'embouchure, la Loire arrose généreusement des terroirs donnant à notre pays des blancs et des rouges qui attirent le monde entier et irriguent les tables les plus conviviales. Sur mon chemin de terre puis d'eau, je vais tracer une route des vins et des copains.

Le confort est trompeur. Il endort. Je devais me prouver que je valais mieux que tous ces objets qui m'entourent. Il fallait me réhumaniser en me mettant – un peu – en danger. Pas question de vieillir paisiblement dans cette maison normande que j'aime, rebâtie pierre à pierre. La vie, c'est la rencontre avec l'autre. Il me fallait ouvrir de nouvelles portes, partager un quignon de pain, toucher des yeux des bois et des vallées inconnus, regarder le soleil par en dessous. J'ai professé qu'il est déjà mort, celui qui n'a pas de projets. Pour ma part j'en ai un grand sac. Ce n'est pas tout à fait un hasard si j'en ai sorti celui-ci. Je veux conjurer cette sensation désagréable qui pourrait me conduire à croire que je suis en train de lâcher la rampe.

***

L'idée de descendre la Loire me titillait depuis longtemps. C'est Jean-Paul Kauffmann qui, voici plus de vingt ans, a glissé le premier cette pensée dans ma tête. Au *Matin de Paris*, nos bureaux étaient face à face. Un soir, dans ces minutes de détente après le «bouclage», alors que nous prenions une minute pour refaire le monde, il me raconta qu'il envisageait de descendre en bateau gonflable avec sa famille un bout de ce fleuve capricieux, en campant dans les îles. J'avais trouvé le projet épatant. Une jolie robinsonnade estivale. Mais la vie, le chômage qui était survenu et surtout la mort de ma femme avaient rejeté très loin toute idée d'aventure. C'était sans compter avec la Loire. Elle ne se laisse jamais oublier. Elle a le sens de l'actualité. De temps à autre, elle gronde, enfle, casse, noie. Dans les années 1980, une bataille furieuse, entre partisans et adversaires d'un nouveau barrage, avec Jean Royer le maire de Tours en bétonneur et des associations regroupées sous la bannière de SOS Loire vivante, a longtemps tenu l'affiche. Le combat a tourné à l'avantage des écolos. On a renoncé à civiliser le dernier fleuve sauvage français et, dit-on, le plus grand d'Europe. «Sauvage»? Ça me va bien. Prenant sans cesse des déguisements, la Loire-torrent, la Loire-châteaux, la Loire-usines, la Loire nucléaire, la Loire-Atlantique se rappelait de temps en temps à mon souvenir, par les événements dont elle est prolixe.

Ma décision fut prise lors d'un voyage anodin. Voici trois ans, me rendant au Puy-en-Velay, j'empruntai la voie ferrée à partir de Saint-Étienne. Ce fut un éblouissement. D'un bout à l'autre, le train glisse au-dessus du fleuve, surplombe les gorges. Oublié le livre emporté pour passer le temps, devant la beauté et la violence du torrent. Fasciné par le spectacle, j'aurais aimé descendre du train, me mêler aux flots blanchis d'écume, m'immerger dans ce décor de verdure et d'onde bouillonnante, de pierres obstacles, de courants fluides et d'eaux dormantes. Un vrai coup de foudre. Ce qui me frappa surtout, ce fut la sauvagerie du lieu. Pas un homme en vue, pas une maison sur les rives. Seul, de temps à autre, un château médiéval plus ou moins bien conservé, haut perché et orgueilleux jusque dans ses ruines, faisait penser à une sentinelle oubliée. Des rapides mousseux, des nappes d'eau calme, miroirs étincelants sous un soleil d'automne ; la Loire, ce jour-là, m'a séduit. Ému, je lui ai fixé un rendez-vous d'amoureux. Il fallait que je revienne, que je chemine avec elle dans ces paysages fabuleux d'Ardèche et de Haute-Loire. De retour chez moi, j'ai déplié les cartes et rêvé, imaginé les obstacles, les difficultés et entrevu mille émotions. En 2007, j'étais prêt au départ. Mais des menaces sur la vie de l'association Seuil et… le mariage de mon fils cadet m'obligèrent à retarder l'aventure.

Hier, dans les locaux de l'association à Paris, j'ai retrouvé deux autres voyageurs qui allaient endosser leur sac. Christian, dont les chaussures ont battu tous les sentiers du monde, partait avec Mickaël, un gamin confié à Seuil par l'Aide sociale à l'enfance, pour tenter de parcourir près de 2 000 kilomètres en Espagne sur les chemins de Compostelle. L'adolescent entame une marche plus sérieuse que la mienne, par la distance et par l'enjeu, surtout. C'est à la rencontre de son destin, d'un rebond de sa vie mal partie qu'il va s'acheminer, par un effort quotidien, durant trois mois. Son premier grand voyage. Peut-être le dernier pour moi, qui sait?

Retenu par la petite cérémonie donnée pour la «fête de départ» de Mickaël, j'ai dû prendre le train de nuit, me privant du fabuleux spectacle des gorges de la Loire vues d'en haut. Dans quelques jours, je serai sur la berge, et je regarderai en l'air passer ce même train. En attendant, je m'inquiète un peu du déroulement de cette expédition, de ces six semaines à venir près du fleuve et sur le fleuve… Débordé par mille tâches jusqu'au dernier moment, j'ai totalement négligé les préparatifs. Mon seul plan consiste à suivre la Loire d'abord à pied pendant 150 kilomètres environ, puis à naviguer ensuite jusqu'à Nantes. J'ai néanmoins consacré quelques minutes à l'achat sur Internet d'un canoë qui me sera livré en cours de route, lorsque, je l'espère, la navigation sera aisée. Sur le site du fabricant, un langage très ésotérique ne permet pas de faire un choix bien clair. Un peu au hasard, j'ai choisi le canoë le plus esthétique, et surtout un bateau destiné à un seul passager. Mauvaise pioche, on m'expliquera par la suite que plus ils sont longs, mieux ils glissent sur l'eau. Avec ses 3,70 mètres, le mien est assez court. Je devrai compenser par des coups de pagaie plus fréquents et plus vigoureux. Au final, advienne que pourra, j'ai passé commande et signé un chèque d'environ 1 000 euros.

J'aurais certes pu consulter des spécialistes. Le canoë-club de Beaumont-le-Roger, la ville voisine de mon village, qui m'a prêté un gilet de sauvetage, m'aurait sans doute donné des conseils avisés si j'en avais sollicité. Mais bah, c'est une de mes marottes : celui qui fait le voyage doit en assumer tous les choix. Une manière de s'aventurer avant l'aventure. Si tu te trompes, tant pis pour toi. On ne peut à la fois prétendre affronter le risque et multiplier ceintures et bretelles de peur de perdre sa culotte.

Ensuite, toujours par Internet, j'ai envoyé à mes copains et relations un message disant en substance : « Avez-vous un ami, ou un ami d'ami qui habite au bord de la Loire et à qui je pourrais rendre visite ? » Pour moi, le voyage, c'est d'abord la rencontre. Un voyage sans nouvelles amitiés, c'est du tourisme, et je n'en ai pas le goût. Dans notre pays de sédentaires, nous n'ouvrons pas volontiers nos huis. Et chaque soir, par peur des rôdeurs, les portes et les volets sont soigneusement bouclés. Mon initiative a eu un effet inespéré. Du Puy jusqu'à Nantes, une cinquantaine de personnes ont répondu à ma demande. Je m'en réjouis par avance. Partager un moment avec un ami de rencontre a plus de prix pour moi que suivre un guide dans un prestigieux monument. Mes musées à moi, ce sont les hauts fûts des arbres centenaires ou les à-pics vertigineux des montagnes, mon cinéma, le vol anarchique d'un papillon au-dessus d'un coin de prairie ou les ondulations lascives d'une truite dans l'attente patiente d'une proie. Pour le reste, la préparation du voyage a été bâclée et j'en paierai le prix plus tard. J'ai attrapé mon vieux sac à dos blanchi sous les soleils d'Europe et d'Asie, jeté dedans une gamelle pour les campements du soir, deux T-shirts, autant de caleçons et mon grand poncho, en cas d'intempéries.

***

Je suis un peu distrait en ce jour inaugural de mon aventure. En descendant vers Sainte-Eulalie, j'ai raté le premier affluent de la Loire, l'Agueneire, « l'eau noire », un ruisselet guère plus petit qu'elle. Sainte Eulalie, une jeune chrétienne de 13 ans qui vécut apparemment sa courte vie en Espagne, est surtout célèbre à cause de la «cantilène». Ce poème en vers décrivant son martyre est supposé être le plus ancien texte littéraire écrit en français. Le village, le premier que traverse la Loire naissante, est constitué d'une enfilade de maisons alignées de chaque côté de la route. À l'arrière, des fenêtres offrent une échappée sur les champs alentour. Je prends une chambre à l'*Auberge des sucs d'Auvergne*. Les sucs ne sont pas une spécialité locale mais de petites montagnes éruptives pointues, dont les cimes acérées s'alignent en noir et bleu au soleil couchant. Le mont Gerbier-de-Jonc est un des plus gros sucs. En fait d'auberge, l'hôtesse au sourire chaleureux ne loue que des chambres. Cette première marche m'a donné faim. La patronne de l'unique restaurant m'envoie promener : l'hôtel est plein et elle attend un groupe. Je réussis à plaider ma cause, en faisant valoir que je ne suis qu'un malheureux piéton. Impossible pour moi qui ne roule qu'à godillots d'aller jusqu'à la prochaine bourgade pour trouver une table. En vraie commerçante nourricière, elle craque et me demande de revenir à 19 h 30. Elle y verra plus clair car le repas, ici, c'est 19 heures précises.

À l'heure dite, je suis de retour avec une faim à manger un suc. Elle me prie d'attendre sur la terrasse et, heureusement, m'oublie. Le groupe en question – une quinzaine d'hommes accompagnés de deux ou trois femmes – débarque à son tour et s'installe pour un apéro de bons vivants. Ils appartiennent à une église qui pratique une religion sans nuance : la pêche à la mouche. Le grand maître de cette confrérie, un certain Zarn (son nom sur Internet, en réalité il s'appelle Patrick) est un petit blond coiffé en pétard qui porte un anneau à l'oreille.

La cinquantaine, il vit dans les environs avec sa mère. Il a convoqué ses ouailles en l'honneur d'un géant débonnaire au rire tonitruant venu de Nouvelle-Zélande, l'un des lieux privilégiés de ces traqueurs de truites. L'animal fluide et vif est l'objet de toutes les conversations. Rien que des histoires de pêche.

Le groupe, en s'installant, m'a encerclé et je suis rapidement mêlé à la discussion. On m'offre même un verre. Un jeune professeur de ski arrivé tout droit de Savoie pour la circonstance ne vit que pour cette passion. «On n'a qu'une vie», dit-il. Alors il s'en est inventé une double. L'hiver, sur les champs de neige, ce garçon blond, mal rasé, au menton large et à la belle carrure, doit faire chavirer le cœur des débutantes au chasse-neige. Dès la fin de la saison, il saute dans un avion et va se perdre seul, au bout du monde, aussi loin que possible de toute habitation, là où l'eau est pure et les truites centenaires. Ces amoureux de la nature pratiquent le *no-kill*, «défense de tuer». La bestiole capturée est mesurée, photographiée, puis remise à l'eau. En Nouvelle-Zélande, notre pêcheur avait attrapé une truite monstrueuse de 83 centimètres de long. L'année suivante – photo à l'appui–, il a pêché la même. Elle avait gagné 3 centimètres. Il ne désespère pas de la revoir un jour, mais en attendant il sera la semaine prochaine en Argentine. On lui a parlé d'un endroit dans la cordillère des Andes où il va traquer, plusieurs mois durant, la *fario* et l'*arc-en-ciel*.

«En Australie, dit Zarn, il y a une rivière où l'on ne peut se rendre qu'en hélicoptère. Des pièces énormes, bagarreuses, l'isolement total. À l'heure convenue, l'hélico vient te rechercher.» La patronne qui m'a enfin retrouvé me fait dîner d'une… truite au bleu dans un coin du restaurant d'où j'entends les pêcheurs raconter et raconter encore. Quelle merveille que la passion, et ils en sont un concentré. C'est ma première belle rencontre et ce n'est que le premier jour. Je m'endors avec dans les yeux des images de torrent et de mouches artificielles qui volent dans le soleil.

Au petit déjeuner, l'hôtesse intriguée me demande où je vais.

– Au bout de la Loire

– Vous permettez ? – elle s'assied : Racontez-moi ça…

Priorité à la conversation. D'autant que les petits déjeuners bavards, moi l'homme du matin, j'adore. À la fin de mon histoire, l'heure est bien avancée. Il faut partir. La patronne m'indique vaguement la direction à prendre pour le lac volcanique d'Issarlès, ma prochaine étape. Par pure paresse, je néglige de vérifier le chemin. Une heure plus tard, je dois bien admettre que je suis certes sur la route du lac, mais j'ai complètement abandonné le lit de la Loire – qui est pourtant mon objectif. Trop tard pour faire demi-tour. Je vais rater Rieutord. En patois local, le mot signifie approximativement «ruisseau qui se tord». La Loire n'est pas seulement indomptable, elle est excentrique. Pas capricieuse : elle sait ce qu'elle fait, j'en suis sûr. Là-haut, dans le mont Gerbier-de-Jonc, sur la ligne de partage des eaux, elle avait choisi de tomber du côté de l'Atlantique. La pente l'envoie-t-elle plein sud ? Qu'à cela ne tienne, à Rieutord, elle fait un virage à 180 degrés. Elle ne sera ni un affluent du Rhône ni un petit fleuve méditerranéen ! Elle a d'autres ambitions. La voilà repartie plein nord. Plus loin, vers Orléans, alors qu'elle semblait devoir se jeter dans la Seine, elle changera encore d'avis et partira résolument vers l'ouest. C'est évident, elle mènera seule, de son côté, sa vie de jeune fille avant d'épouser l'océan Atlantique.

Chère Loire, je l'aime déjà pour son caractère solitaire.

L'heure du déjeuner approche, je marche avec bonheur dans un paysage vallonné et changeant. Pour calmer un petit creux, j'achète dans une ferme un morceau de fromage et un bout de pain que l'hôtesse arrose d'un verre de vin frais. Moins d'une demi-heure plus tard, le cœur léger, heureux de retrouver des sensations oubliées depuis plusieurs années, oublieux pour un instant des problèmes de ce monde, je reprends la route. Est-ce déjà la fatigue ? En gravissant une colline plus haute que les autres, je suis saisi d'une délicieuse langueur. J'ai tout mon temps. Personne ne m'attend. Je pénètre dans un champ à l'herbe rase, parsemé de grosses balles de foin bien alignées. Je me pose à l'ombre de l'une d'elles, ôte mes chaussures, rabats mon chapeau sur le nez et, adossé à la paille sèche et odorante, sombre dans une sieste béate.

Je suis réveillé par le bruit d'un tracteur qui entre dans l'enclos. Une jeune femme alerte saute de l'engin et vient vers moi en souriant. C'est Marie. Un foulard noué comme un turban enveloppe ses cheveux, un T-shirt rouge recouvert d'une chemise à carreaux entrouverte révèle une taille fine et de petits seins pointus. Son short bleu genre jean n'est sans doute pas de grande valeur, mais les jambes fuselées et bronzées qui en sortent rehaussent la facture. Elle sourit de ses yeux clairs discrètement voilés par des lunettes de soleil à peine teintées de bleu. Rarement silhouette aura été aussi bien assortie au paysage. Marie appartient aux territoires de ceux qui se nomment les « hommes d'en haut ». Je les imaginais rugueux et mal dégrossis. L'image que j'ai devant moi corrige mon imaginaire. Autour de nous, un espace immense qui porte à plusieurs dizaines de kilomètres, noyé de soleil. Saisi par cette apparition, je sors du sommeil comme d'un rêve, un peu ahuri. Elle habite la ferme perchée que l'on aperçoit en amont et dont je lirai tout à l'heure le nom sur une planche : « Cherchemouss.» Marie qui me semblait beaucoup plus jeune m'assure qu'elle est maman de trois enfants dont l'aîné a 16 ans. Ils sont en pension car la ferme est loin de tout et sans doute isolée par la neige en hiver. Elle vient récupérer des rouleaux de foin qu'elle va transporter jusqu'à la grange où son mari, avec un autre tracteur équipé d'une fourche, entasse les balles. La récolte, me dit-elle, a été si abondante cette année que tous les paysans cherchent des espaces pour stocker le précieux foin. Voici trois ans, ils avaient été obligés d'aller acheter du fourrage pour les bêtes près de Nantes, là où je vais, justement. Comme si la Loire, à l'une de ses extrémités, fournissait ce qui manque à l'autre.

La rencontre avec la jolie Marie m'a donné des ailes. Elle m'a aussi un peu rassuré. Depuis le départ, j'ai vu tant de panneaux «Privé», «Interdit» et «Défense d'entrer», que je craignais que les «hommes d'en haut» soient des propriétaires un tantinet abusifs. Or, ma présence dans son champ a semblé davantage la ravir que la contrarier.

Le chemin vers le lac d'Issarlès est divin. Il serpente entre les prairies. Les monts d'Ardèche et la Haute-Loire dont je m'approche rivalisent de beauté. Je pénètre dans une forêt de sapins et de hêtres. Sous le couvert, partout, des framboisiers sauvages. Hélas, les fruits ne sont pas encore mûrs mais je me rattrape sur les fraises des bois qui se cachent comme elles peuvent sans pour autant échapper à ma gourmandise. À Issarlès où j'arrive tardivement, la cuisine du restaurant a été dévalisée par les touristes et, en guise de repas, je dois me contenter d'un sandwich. Après le fromage de midi, c'est maigre. Basta, je mangerai ma graisse.

Je plante ma minuscule tente dans un des deux campings, où une famille m'associe à sa partie de pétanque. Je suis un piètre joueur, je marque pourtant le point gagnant à l'issue d'une compétition serrée. Pur hasard. Ou alors la boule était amoureuse du cochonnet.

***

Demain, petit parcours de 15 kilomètres. Tant mieux car tous mes muscles protestent. Ils avaient perdu l'habitude. Je sais par expérience que, lorsqu'un effort est demandé à notre organisme, c'est le troisième jour que les douleurs musculaires sont les plus fortes. Le lever sera rude. Par souci de légèreté, je n'ai pas emporté de matelas gonflable. J'ai bien retiré du sol un maximum de pierres, mais cela n'a pas suffi ; tout au long de la nuit, mon dos a subi un martyre au contact de la terre dure. Ajoutée à cela une erreur de prévision : partant en août, j'ai tablé sur des températures estivales et un duvet très léger, en laine polaire, qui ne me protège guère. Je grelotte une partie de la nuit. Quand je pense que certains me prennent pour un « grand voyageur » ! Je n'ai même pas assimilé que la Loire prend sa source à plus de 1 400 mètres et qu'en montagne les nuits sont fraîches. Un imprévoyant, oui, voilà ce que je suis. Je n'ai en outre pas eu le temps d'acheter un petit réchaud à gaz. La propriétaire du camping m'a bien obligeamment prêté une bouilloire pour me faire un café, mais le cordon, trop gros, ne peut se brancher sur les prises à rasoir des lavabos. En guise de petit déjeuner, je dois me contenter d'une tasse de café lyophilisé, arrosé par l'eau tiédasse du robinet.

Lorsque je repars au matin, la faim me tenaille déjà. Mon

dos proteste, mes mollets tirent. Voilà ce qu'il en coûte de faire semblant d'être un jeune homme. À 9 heures, je pousse la porte de Raymonde et Paul Pascal qui ont aménagé des chambres d'hôte dans leur ferme. Rien ne dit qu'ils me vendront de la nourriture. C'est Paul, un grand bonhomme débonnaire, qui ouvre. Un morceau de fromage, deux tartines et un verre de vin? La demande le surprend, car à cette heure ils sont en train de prendre leur petit déjeuner. Mais Raymonde s'active et la conversation s'engage entre deux bouchées. Les Pascal sont passionnés par leur nouveau métier d'aubergistes. Ils avaient une ferme. Mais les quotas laitiers les ont obligés à mettre leurs champs en jachère. «Politique ridicule, rigole Paul, car on fait machine arrière aujourd'hui et la France manque de lait. Certains paysans se sont reconvertis pour élever des chèvres et des brebis. Ils sont esclaves de leur bétail. Moi, finalement, cela a été ma chance. On s'en sort bien avec les chambres d'hôte et une petite activité agricole. Raymonde qui n'a pas encore pris sa retraite cotise, et moi je reçois les clients.»

Autour de l'immense table, nous refaisons quelques morceaux du monde qui seraient mal partis sans nous. Valentin, un jeune futur ingénieur au visage sympathique et à la fibre écologique, vient de passer plusieurs mois en stage dans la ferme-auberge. Il veut travailler dans les énergies renouvelables et s'est entendu comme larron en foire avec ses hôtes pendant son séjour. Paul évoque le village de Vallet, tout en bas, près de la Loire. «Ils étaient subtils, les anciens. Ils ont construit ce village au bord du fleuve alors que tous les autres, comme le nôtre, sont en hauteur pour éviter les colères meurtrières de la Loire. Eh bien, l'endroit a été si bien choisi que, même aux plus grandes crues, l'eau s'approchait mais n'a jamais envahi les maisons. Le village était occupé par des pêcheurs qui jetaient leur carrelet et allaient, chaque vendredi, vendre leurs poissons au Puy. En 1900, il y avait encore quatre-vingt-sept personnes qui vivaient à Vallet. Aujourd'hui, il n'y a plus que deux maisons habitées de temps à autre, des résidences secondaires. Ce pays meurt. Tous les enfants partent à la ville.»

Je m'arrache à leur conversation d'autant plus difficilement qu'après un début de journée maussade le soleil brûle. Sur le coup de midi, épuisé, je me laisse tomber sur une herbe ombragée, enlève mes chaussures et mes chaussettes trempées de sueur, pose ma tête sur mon sac et m'endors. À mon réveil, la chaleur a encore monté. Pour ne rien arranger, je cherche sans succès les signes blanc et rouge du chemin de grande randonnée qui devraient me guider. À un carrefour, je m'use les yeux pour trouver une piste lorsque arrive Léon. Bien en chair, une petite bedaine d'homme qui ignore tout du mot «régime», une fine moustache blanche et des joues d'un rouge réjouissant, il irradie la chaleur humaine. Il m'invite tout de go à «boire un canon», après m'avoir expliqué que des coupes de bois sont responsables de l'absence de signes sur le chemin. Les arbres qui portaient les marques du GR ont été abattus et les marcheurs, faute de signes, sont devenus aveugles. Il en a déjà renseigné plusieurs qui, comme moi, ne trouvaient pas leur route. Comment faire pour que les suivants ne se perdent pas ? Les randonneurs devraient avoir dans leur sac de petits pots de peinture ou un autocollant de chaque couleur. Il faudra que j'en parle à nos amis de la Fédération française de randonnée pédestre…

Léon vit seul à Largier, un hameau de quatre maisons. «Ma femme, raconte-t-il, est morte il y a trois ans d'un

AVC.» Il doit juger le terme un peu compliqué pour moi car il précise : «Arrêt vasculaire cérébral.» Il a dû raconter dix mille fois son service militaire à Marseille, mais, ayant trouvé une oreille neuve, il ne s'en prive pas, tout en sirotant un petit rosé. Son service militaire, quel événement! C'est la seule fois en quatre-vingt-deux ans qu'il a quitté Largier, son hameau natal où il mourra sans doute. Léon a trimé dur : agriculture, élevage, il était aussi entrepreneur de battage. En été, lorsque les céréales étaient rentrées, il allait de ferme en ferme avec une machine antique qui séparait le grain de la paille. Les moissonneuses-batteuses ont sonné le glas de ces fêtes où tous se retrouvaient, chacun aidant l'autre et comptant sur la réciproque. Léon faisait aussi du débardage en hiver. Il continue d'ailleurs sur la propriété qu'il a laissée à l'un de ses enfants, 100 hectares de sapins, des douglas qui poussent comme champignons après la pluie.

Je suis surpris par le sentiment de propriété de certains paysans qui collent à tout propos des pancartes «Propriété privée», comme si fouler le sol de leur champ était un crime. Léon a d'ailleurs fait une grosse colère quand un voisin a cloué ce genre panneau à l'entrée de son champ.

– Alors je lui ai dit… – un petit coup de rosé? reprenez-en, c'est un ami de Tarascon qui me l'a donné – donc je lui ai dit : «Et toi, quand tu vas aller aux cèpes, tu seras content de trouver une pancarte comme ça? Si tout le monde en fait autant, on se retrouvera comme des cons, chacun dans notre cour.»

– Ça commence où, la Haute-Loire?

– De l'autre côté, sur l'autre rive. Tu connais la chanson?

Il a trop envie de me la chanter et l'entonne sans attendre la réponse.

La Haute-Loire est belle
On y vient de partout
En passant par Goudet, Castoray et Ussel
Acheter la dentelle, avec que des prix fous.

À regret, j'ai rempli ma gourde, endossé mon sac et repris le chemin. Je n'avais pas fait 100 mètres que j'ai entendu démarrer le tracteur, garé devant la porte. Il a de l'ouvrage, Léon, pas de temps à perdre. Sauf celui, illimité, de la conversation. Comme je le taquinais sur sa faconde, il m'a confié : « Mon fils qui tient le café *Le Charleston* au Puy est pire que moi. Va le voir. » Hélas, lors de mon passage, le bistrot sera fermé.

★★★

Je ne suis plus qu'à quelques kilomètres d'Arlempdes (prononcer *Arlemdes*, oublier le *p*), mais ils me paraissent interminables. Un sentier abrupt précède l'arrivée dans ce gros bourg. Si pentu que, une fois n'est pas coutume, je dois m'arrêter pour souffler. Tout mon corps proteste. Quand vais-je enfin comprendre qu'il faut que je me calme, que je me « range » ? Et Léon l'octogénaire, quand va-t-il se décider à remiser son tracteur sous le hangar ? Jamais sans doute. Il est du même bois que ses arbres, ils ne tombent que si on les abat.

La chambre de l'hôtel donne sur le château bâti au sommet d'un fût de lave. La Loire fait le tour de cette forteresse construite de basalte et de pouzzolane. Pierres dures, pierres d'éternité. Dans dix siècles, elles n'auront pas même été entamées. Avec un petit groupe de touristes, je suis la très jeune conférencière qui récite huit fois par jour l'histoire du sieur d'Arlempdes et de son château.

Afin de partir tôt et d'éviter de marcher aux heures chaudes, j'ai demandé à l'hôtelière de déjeuner à 6 h 30, mais la fatigue a sur moi un effet particulier. Je me réveille à 2 heures du matin et ne retrouve le sommeil qu'à... 6 h 30. Lorsque je descends à 8 heures pour le petit déjeuner, la patronne rigole et moi aussi. Les premiers pas sont douloureux. Les jambes, le dos, les hanches, saturés de toxines, crient grâce. Si j'avais eu le temps de faire quelques marches avant de partir en expédition, j'aurais évité ces douleurs. Ça passera, non sans mal.

Je n'ai pas parcouru 500 mètres qu'un orage éclate. Le temps de sortir ma vieille cape de pluie – il me faudra bien la remplacer un jour – et je suis déjà trempé. Je reçois en outre un appel m'indiquant que Mickaël qui partait en même temps que moi à destination de l'Espagne a quelques difficultés et envisage d'abandonner. Orage et mauvaise nouvelle, c'est un peu trop dès le matin. Distrait, je ne retrouve pas les signes du GR et m'égare de nouveau. Sans pour autant le regretter. Du haut de la colline qui domine le château d'Arlempdes, le spectacle est superbe. Le sieur châtelain n'avait nul besoin de construire de hautes murailles : la nature a fourni un piton droit et mince comme un crayon sur lequel il a suffi de poser le bâtiment. Il n'a pas été nécessaire de creuser des douves, la Loire cerne presque complètement la citadelle. Inexpugnable, mais seulement en apparence. Comme le racontait la guide, à la suite d'une trahison, la place fut prise sans coup férir. Ce fut aussi le cas pour Château-Gaillard, formidable forteresse qui interdisait la vallée de la Seine au roi de France. Ce dernier avait déclaré : « Serait-il de fer, je l'attaquerai. » À quoi le roi d'Angleterre avait rétorqué :

«Serait-il de beurre, je le défendrai.» Rien de tout cela ne se produisit, quelques pièces d'or promises à un traître et la citadelle fut investie. Gengis Khan pensait à juste titre qu'il était plus facile et moins coûteux en hommes d'acheter un général félon avec des promesses mensongères. Et c'est bien ainsi qu'il franchit sans encombre l'immense et menaçante Grande Muraille.

J'erre dans la campagne sans trouver le moindre marquage du GR ni même un panneau routier susceptible de me renseigner. Enfin un village, Freycenet. Un homme, bottes et combinaison bleue dotée de deux longues fermetures à glissière, vient à ma rencontre. À l'évidence, un étranger avec un sac à dos est une rareté ici. Le gaillard me rassure, il connaît le chemin en question. Mais pour une fois qu'il a un auditeur, tout comme Léon de Largier, Bernard de Freycenet ne lâche pas sa proie. Classe 44. La forme. Au service militaire, il pesait 69 kilos. Quarante ans plus tard, il n'a pris que deux livres. Pas mal, non? quémande-t-il. Cet éleveur de bétail consomme peu ou pas de viande. Voilà, me dit-il, le secret de la forme. Chaque année, il tue deux veaux et deux cochons destinés aux enfants. Sa femme qui nous observe de loin travaillera encore deux ans, pour avoir tous ses points de retraite. Quant à lui, bien que retraité, il ne veut pas s'arrêter. «Mon père et mon grand-père me l'ont assez dit: le travail ne tue pas. Les gens, aujourd'hui, ils ont peur du travail. Mais ce qui les tue, c'est pas le travail, c'est le stress. Regardez ma femme qui s'occupe des comptes, ça la tracasse. Moi, rien de tout ça. Je ne m'en mêle pas.»

Après cette leçon de bonheur zen, Bernard m'indique enfin le chemin. Je plonge dans des vallées creusées par de modestes affluents de la Loire qui, la maligne, sait que les petits ruisseaux font les grandes rivières. Dans les descentes abruptes et ravinées, les pierres tordent les chevilles et, à deux reprises, déséquilibré et emporté par mon sac, je fais une chute sur les fesses, sans trop de mal. Mes muscles se sont réchauffés. Sur les plats, j'avance gaillardement, foulant un sable fin qui crisse sous la chaussure. À l'approche de Goudet, deux châteaux médiévaux tombent en ruine. Assis à la terrasse d'un café où je me désaltère, je contemple le clocher de l'église, coiffé de tuiles orangées, vertes et brunes du plus joli effet.

Le restaurant au nom magique, *La Loire*, affiche un menu à prix élevé : le *Loire* est cher, me dis-je, regrettant que personne alentour ne profite de mon calembour. C'est le seul inconvénient du voyage solitaire. Après le village, une montée sèche, interminable, me fait sentir la fatigue. Plusieurs randonneurs me croisent. Certains s'étonnent sans s'arrêter : vous le faites à l'envers ? Deux randonneuses qui ont posé le sac pour souffler me donnent la clé de l'énigme : le GR qui suit la Loire a une partie commune avec le chemin de Stevenson[1]. Tous ces marcheurs, partis de Le Monastier, descendent vers Goudet en suivant pas à pas les traces du grand écrivain. J'ai fait avec mon fils Mathieu ce même parcours l'année de la canicule qui a tué tant de vieillards. Nous n'étions pas très nombreux, il faisait trop soif pour grimper les sentiers abrupts.

Après le village de Saint-Martin-de-Fugères qui m'a ramené à 1 100 mètres d'altitude, les deux chemins se séparent et le mien s'oriente plein nord. Je déjeune au café-restaurant-épicerie-boulangerie. Plat du jour abon-

---

1. Robert Louis Stevenson, l'auteur de *L'Île au trésor* est venu marcher dans cette région en 1878. Dans *Voyage avec un âne dans les Cévennes*, modèle du récit de voyage, Modestine, une ânesse butée, partage la vedette avec l'écrivain.

dant, dessert, vin et café pour 8,50 euros. *Le Saint-Martin* n'est pas cher. Les patrons sont d'anciens nomades qui ont développé des racines ici. Pascal, boulanger itinérant, a parcouru toute l'Europe. «Les Allemands raffolent de la baguette française.» Patricia, sa femme, n'était pas moins bourlingueuse. Elle vendait des confitures sur les marchés. Et puis ils en ont eu marre. La mairie a restauré un bâtiment et leur en a confié la gérance. Le pain de Pascal est bon, la cuisine de Patricia succulente. Ils ne se plaignent pas malgré le mauvais temps qui raréfie les randonneurs. Leurs deux filles, trop heureuses de quitter le pensionnat, vont à l'école du village et apprécient la vie de famille, tout en aidant leurs parents à l'heure du coup de feu. De la fenêtre, on voit, irrégulière comme un peigne un peu édenté, l'admirable chaîne des sucs, ces pics volcaniques dont le Mézenc est le plus connu. Fatigué par l'interminable montée depuis Goudet, rassasié par un bon déjeuner, je m'endors sur ma chaise pour une petite sieste éclair réparatrice.

À 14 heures, je quitte ragaillardi Pascal et Patricia et me dirige vers Coubon où je suis reçu par Simone Mourier. C'est mon quatrième jour de marche, j'approche en ce 8 août du Puy-en-Velay, capitale de la lentille et de la verveine.

★★★

Simone est la première qui a suggéré de m'offrir le gîte et le couvert durant mon voyage sur la Loire. Le 4 août, fort obligeamment, elle m'avait conduit en voiture depuis Le Puy jusqu'au Gerbier-de-Jonc. Elle dirige la médiathèque du Puy que j'ai eu l'occasion de visiter et qui contient des documents très anciens et précieux. La douche qu'elle me propose de prendre a une vague ressemblance avec la machinerie d'un sous-marin nucléaire. Je tripote quelques robinets. À quoi peuvent-ils donc bien servir ? Des jets d'eau me cernent, m'éclaboussent, chauds ou froids sans que je puisse deviner leur provenance. L'affaire mériterait un stage de formation. Mais après la sueur de la marche, l'exercice efface la fatigue. Mon hôtesse ne se remet que lentement de la perte de son mari, disparu voici trois ans. Cette femme à la voix douce, à l'œil vert sous une frange de cheveux blond vénitien, diffuse autour d'elle une atmosphère de sérénité. Adouci par un soupçon de maquillage, son visage est constellé de taches de rousseur. Je trouve cela attendrissant. Quand j'étais gamin, j'en avais aussi et j'ai regretté leur disparition à la puberté, preuve sans doute que je commençais, déjà, à vieillir.

Après une longue bataille avec les professionnels qui s'imaginent qu'ils savent et, le plus souvent, qui pensent qu'on les paie pour parler et non pour écouter les souhaits de leurs clients, Simone a réussi, contre l'évidence des « je ne vois pas d'autres solutions », à complètement transformer sa maison. Elle s'est construit un « nid » en prévision de sa retraite, dans quelques années. Il se compose d'une vaste pièce, occupant presque tout le premier étage, éclairée par de grandes baies et meublée avec goût, où l'on se déplace sans contrainte de la cuisine à la bibliothèque ou au salon. Ses deux fils habitent le rez-de-chaussée. Venue du Maroc, Simone a d'abord vécu en Bretagne avant de s'établir définitivement avec son mari sur le bord de la Loire qui coule à une cinquantaine de mètres devant chez elle. Simone aime cet endroit, proche du Puy où elle travaille.

Sa première cohabitation avec la Loire ne fut pourtant pas idyllique. Lorsque le couple achète cette maison en 1980, l'acte de vente, par une jolie tartuferie, précise que le lieu est une «zone non inondée de décennie en décennie». Le déménagement a lieu la première semaine de septembre. Pendant qu'ils s'installent, au premier jour de l'automne, des pluies diluviennes s'abattent sur la région des Cévennes en amont. Le fleuve qui se réduit ici à un petit torrent moussant sur les galets se met à gonfler démesurément. Quatre caravanes stationnées sur la berge se retrouvent rapidement les roues dans l'eau. Le mari de Simone et des voisins s'apprêtent à les tirer de ce mauvais pas, mais la Loire ne leur en laisse pas le temps : «J'ai vu arriver comme une vague descendant des Cévennes», raconte Simone. En quelques minutes, les caravanes sont entraînées par le flot. Et pas seulement elles. Il y aura neuf morts. L'eau envahit tout, il faut évacuer. Ils campent plusieurs jours ici et là en attendant le reflux. Quand ils reviennent chez eux, une boue putride a recouvert les quelques cartons qui n'ont pas été emportés par la crue.

La langue aiguisée par la solitude de la marche, je bavarde et mon hôtesse n'est pas en reste. Dans le cadre de son travail à la médiathèque, elle va souvent rencontrer les pensionnaires de maisons de retraite. Et le soir, elle me demande de l'accompagner chez Mme Champetier, une vieille dame de 87 ans qu'elle aime beaucoup. Cette dernière a pris un grand plaisir à lire le récit de mon voyage à pied sur la route de la Soie [1] et s'en est souvent ouvert à Simone. Pour lui faire une surprise, elle lui amène l'auteur. Mme Champetier rayonne.

Chez Simone, je mesure pleinement ce qui m'attend pour la suite du voyage. J'admire l'ouverture d'esprit de tous ces gens prêts, sans me connaître, à ouvrir leur porte

---

1. *Longue marche* (3 vol.), Phébus, Paris, 2005 ; Libretto n° 192, 193, 194, 2005.

à un étranger, prenant ainsi le risque d'introduire chez eux un olibrius insupportable. Pourquoi Simone l'a-t-elle fait ? En premier lieu parce que Gaëlle, notre amie commune, a mobilisé tous ses réseaux dans la région. Peut-être aussi pour rompre un peu le train-train quotidien et entrouvrir la boîte dans laquelle nous enfermons tous, à double tour, nos soifs d'aventure. Parce que ce n'est jamais le moment, parce que le travail, parce que la famille, parce que la peur… Mais je m'abstiendrai, jusqu'à la fin de ce périple, de poser ce genre de question. De mon côté, sans cette marche solitaire, je n'aurais jamais eu l'occasion d'échanger avec cette femme cultivée, intelligente et sans doute un peu timide, qui se déplace à petits pas, comme si son corps l'encombrait. Elle a débouché, pour la circonstance, une bouteille d'excellent savennières-la Roche-aux-Fées dont je relève illico les références, afin de rompre dans ma cave le monopole des bordeaux.

Au matin, après avoir récupéré le gilet de sauvetage que j'avais confié à Simone le jour de mon arrivée, je dégaine mon téléphone portable pour appeler Alain Blanchet, l'homme qui m'a vendu le canoë commandé avant mon départ. Reste à déterminer l'endroit de la livraison. Je n'en sais rien a priori. Je n'ai pas d'informations particulières sur le niveau des eaux ni sur les difficultés de navigation. Avec bon sens, j'estime qu'il faut une profondeur suffisante pour pouvoir naviguer. Nous choisissons Retournac d'un commun accord. C'est là que je troquerai mes godillots contre une pagaie, jusqu'à Nantes.

Un mot sur la présence d'un téléphone dans ma poche. Je suis en principe férocement opposé à l'idée d'emporter cet engin en voyage, surtout si la recherche de la solitude constitue l'un des buts de l'escapade. Rien de plus horripilant, à l'instant où l'on observe une jolie fleur bleue sur le bord du chemin, que cet instrument vous assèche l'âme par une sonnerie et qu'un «T'es où?» vienne briser le rêve. Mais je n'ai guère le choix. Je dois en effet m'annoncer chez les gens qui me reçoivent. Pourquoi ne pas l'avoir fait avant de quitter ma maison? D'abord parce que je suis parti à l'aventure avec une impréparation rare. Et surtout, je ne connaissais ni le fleuve ni les obstacles que je rencontrerai. En outre, je suis totalement débutant en matière de navigation fluviale. Je n'ai jamais mis les pieds sur un canoë. Comment prévoir les étapes? À quelle allure irai-je? Même à une semaine près, je suis incapable de dire à quelle date je pousserai la porte de mes hôtes. D'où la nécessité d'un téléphone mobile. Mais je garde l'initiative, bien décidé à ce qu'il soit éteint en permanence, sauf en cas de numéro précis à appeler.

Au Puy, je dois faire quelques courses pour compléter mon équipement. Faute de temps, je ne trouve pas le petit réchaud à gaz qui me sera nécessaire durant la descente en canoë. Simone m'offre un matelas de mousse pour le camping – lesté de mes emplettes, le sac a encore pris du poids.

Je fais mes adieux à Simone non sans me faire violence. Son accueil, son sourire, sa conversation m'inciteraient à prolonger mon séjour. Je mesure à cet instant que cette étape marque un tournant dans mon périple. J'aurai désormais, chaque jour ou presque, une amitié neuve, une découverte et un arrachement. Je retrouve les bonheurs et les contrariétés de mon voyage pédestre sur la route de la Soie, les rencontres, uniques et quotidiennes, et les séparations, toujours à regret. Mais c'est la loi du nomade. Je l'accepte. À la différence des personnes croisées en Asie, je peux espérer un jour ou l'autre revoir les amis d'un soir et d'une nuit.

Mes épaules et mes cuisses endolories me rappellent qu'il faut payer le prix, puisque j'ai sauté hors du bocal. Les protections sont tombées, les certitudes aussi. La douleur physique, très supportable, est compensée par un bonheur retrouvé. Comme si le haut, pour jouir, devait en passer par la souffrance du bas. Ma tête, tout au moins, est plus que satisfaite. La marche solitaire m'a réconcilié avec moi-même. Depuis mon départ du Gerbier, chaque heure, chaque minute, a été différente. La suite sera-t-elle aussi incertaine ? Que vais-je trouver au détour du chemin, porté par une insouciance neuve ? Après Simone, combien de belles rencontres ? Certes, elles sont prévues, programmées, mais il y en aura d'autres. Combien de Léon ou de fermiers végétariens m'attendent plus loin ? Nomade en Loire, je veux m'ouvrir au monde, à ses bonnes et à ses mauvaises surprises. Je prends tout. Je veux embrasser la terre entière, les arbres comme les hommes, retrouver mon humanité loin du réveille-matin ou du « 20 heures » télévisé.

★★★

L'étape du jour vers Brives-Charensac est courte. Bien que les épaules me cuisent, je prends mon temps. Ici et là, des tours et des petits châteaux dominent le fleuve. Je doute que les Vikings qui ont écumé la Loire pendant des siècles aient pu remonter jusque-là, car la vallée est bien gardée. Un homme achève de remplir une remorque de ce sable fin caractéristique du fleuve. Je rêve aux centaines de siècles qu'il a fallu au torrent pour concasser aussi menu les énormes caillasses qui encombrent son lit.

À l'approche de la ville, la Loire se fait amène. Un vaste plan d'eau, provoqué par un petit barrage, a été aménagé dans un espace circonscrit par des peupliers qui, comme l'eau du fleuve, frémissent au moindre souffle de vent. Un quai pour les barques, un ponton pour les baigneurs. Sur une grande pelouse, quelques corps quémandent un soleil qui se dévoile distraitement, de temps à autre, entre les arbres. La température, loin d'être estivale, est agréable. Les enfants courent et prennent d'assaut les jeux, se disputant un long filin sur lequel ils se laissent glisser, accrochés à une poulie, en imitant le cri de Johnny Weissmuller dans le rôle de Tarzan. Un peu plus loin, casquette de golf vissée sur la tête, un pêcheur à la ligne surveille son bouchon. En retrait, sa femme et son fils montrent la même patience silencieuse et immobile.

Sur la rive gauche, la route que je suis dans ce fond de vallée épouse le fleuve sur des kilomètres. Voitures rageuses et camions pressés contrastent avec l'insouciance de l'autre berge. Depuis les sources jusqu'au Puy, j'ai côtoyé la Loire sauvage. Voici maintenant les premiers signes de civilisation, en attendant la splendeur des châteaux.

Au téléphone, Michèle Brunon m'a dit : « Notre maison est près du vieux pont, au bord de la Loire. » Le premier pont que j'aperçois est si vieux qu'il a perdu la moitié de ses arches. Deux d'entre elles ont résisté. Jusqu'à la prochaine colère de la Loire ? Une haute digue bétonnée – une « levée » – protège des crues une zone pavillonnaire et sert de parcours aux promeneurs de chiens. De l'autre côté, les maisons sont plus hardies et certaines ont même les pieds dans l'eau.

Grâce à mon sac à dos bizarrement surmonté d'un gilet de sauvetage, Michèle qui partait faire des courses un cabas à la main n'a aucun mal à me repérer. Elle me conduit à sa demeure, une grande bâtisse adossée à un jardin qui descend en pente douce vers le fleuve. Alain et Michèle, jeunes retraités, ont aménagé au deuxième étage une chambre d'hôte. Leur fils, Cyril, un beau garçon hélas handicapé et qui circule dans la maison en fauteuil, est aussi présent. Une chaîne d'amitiés m'a mené chez les Brunon. Gaëlle, encore elle, a parlé de mon voyage à Emmanuel Gobillard qui, à son tour, a alerté ses amis du bord de Loire du passage attendu d'un drôle de paroissien.

Emmanuel est un jeune prêtre, recteur de la cathédrale du Puy-en-Velay. Des voyageurs, il en voit passer par centaines sur le chemin de Compostelle dont l'un des itinéraires les plus empruntés commence dans son église. Il vient nous rejoindre autour d'une orangeade. Sportif et dynamique, il parle longuement de la Loire qui lui est chère. Ses grands-parents habitaient Nantes, à l'autre extrémité, avant de s'installer dans le petit village de La Bénisson-Dieu. Lui-même a longtemps vécu à Saumur avant de venir au Puy. Dans son enfance, à 13 ans, il jouait de l'accordéon dans un bal, le *Lido*, près du lac de Grangent. C'est en prenant des cours de clarinette qu'il a connu Alain, professeur de musique. Depuis lors, ils cultivent une belle amitié, mais Emmanuel dont les responsabilités sont lourdes n'a plus le temps de prendre des cours.

Alain et Michèle sont des fanatiques de voyage. Grâce aux ressources que leur procure la chambre d'hôte, ils ont bourlingué dans toute l'Afrique et à Madagascar, même si les déplacements étaient parfois compliqués par le handicap de leur fils. C'est en Tanzanie qu'ils ont rencontré les pires difficultés mais ils les ont surmontées et Cyril a pu voir ces bêtes sauvages qui le fascinent. Nous dînons avec un couple et leurs trois enfants qui occupent ce soir-là la chambre d'hôte. Lorsque la maman me dit qu'ils habitent la Seine-Saint-Denis, le 93 – «neuf-trois» – de si mauvaise réputation, je m'amuse de leur look un peu bourgeois qui ne m'aurait jamais laissé deviner leur lieu de résidence, tant ce département est désormais synonyme de violence et de marginalité. Après un petit déjeuner joyeux et convivial – encore une fois, j'adore ce moment, le seul repas de la journée où personne n'a encore mis le masque –, il a fallu m'arracher à la toute neuve amitié d'Alain et de Michèle.

Je reprends ma route au long du fleuve. La Loire est, ici, des plus aimables. Les géraniums et les pelouses tondues au millimètre remplacent les orties et les ronces qui jusqu'au Puy faisaient escorte au courant. Les maisons, rassurées, se rapprochent des rives ; la Loire séduit autant qu'elle effraie, caresse ou frappe selon l'humeur du temps et du ciel. L'étroit pont de la Chartreuse édifié au XVe siècle est tout juste assez large pour laisser passer une charrette. Au-dessus de chaque arche, on avait aménagé un espace où les piétons pouvaient se mettre à l'abri des roues ferrées. Malmené par le fleuve, le pont a été reconstruit à deux reprises, après les terribles crues de 1790 et 1980. Cet élégant ouvrage a été inscrit au patrimoine des monuments historiques en 1914. À proximité, les rois carolingiens avaient construit, sur la rive droite, les premiers moulins à papier, suivis au XVIIe siècle par les moulins à farine qui utilisaient la force du fleuve. Rêveur, je flâne un moment sur l'édifice. Un pêcheur, immergé dans l'eau jusqu'au ventre, fait gracieusement onduler sa canne à mouche et attrape deux poissons coup sur coup. Le premier héron cendré de mon voyage s'envole de la rive, suivi de près par un parti de colverts qui, avec leur cou tendu, semblent toujours à la poursuite de leur bec.

Les berges se resserrent encore. La Loire doit céder un peu de place à la route et à la voie de chemin de fer reliant Le Puy à Saint-Étienne. Préférant la nationale, je quitte le GR qui part vivre sa vie dans les collines et abandonne le bord de l'eau. La route, elle, suit fidèlement chaque méandre du fleuve. Ainsi, je ne le perdrai pas de vue, car une idée m'obsède : la Loire sera-t-elle suffisamment large et navigable pour mon canoë lorsque, bientôt, j'arriverai à Retournac ? Impossible de trouver des cartes vraiment spécialisées ou précises pour m'informer du débit et du régime du fleuve, sauf pour la dernière partie, après Bouchemaine où il est même capable d'accueillir des navires importants.

À l'endroit où je me trouve, les conditions évoluent à chaque kilomètre. Eau profonde et stagnante suivie d'un filet roulant sur les galets, qui semble à peine assez profond pour une barque. Des pêcheurs, avec leurs cuissardes, ont de l'eau jusqu'à la cheville ou au mollet. Le débit – à son plus bas niveau annuel en août –, la déclivité du sol, la présence d'obstacles naturels ou de barrages... autant de facteurs qui déterminent la profondeur de l'eau. Tout en marchant le long de la Loire, je l'ausculte et mon diagnostic est plutôt pessimiste. Si les choses ne changent pas d'ici Retournac, j'aurai du souci à me faire, car je n'aurai pas assez de flux pour naviguer.

Sur une pile du petit viaduc qui fait franchir la Loire à la voie ferrée, près du château de Polignac barrant la vallée, une étiquette indique le niveau de la crue de 1980. Impressionnant. Près d'1,50 mètre d'eau recouvrait la route pourtant largement en surplomb du fleuve. Le flot s'est même approché dangereusement de la partie supérieure en ogive des arches. Mais la construction a tenu bon.

Dans un café de Lavoûte-sur-Loire où je me restaure, Louis, 82 ans aux fleurs, aussi âgé, bavard et rubicond que Léon, est venu boire son canon quotidien. À croire que la région produit en série, et sur le même modèle, ces vieillards sympathiques, droits, secs et diserts. Louis était ici même, devant son verre de vin rouge, quand le fleuve a tout cassé voici vingt-huit ans. Il y avait, me dit-il, trois semi-remorques stationnés sur la route près du fleuve. La Loire en colère les a enlevés comme brindilles, les roulant dans son lit et les envoyant obstruer les arches du pont. On y a interdit la circulation, craignant de le voir emporté tant la pression était forte. Mais il a résisté. Ce pont, Louis le connaît bien. C'est son arrière-grand-père qui l'a construit en 1802. Venus d'Angers, ses deux frères et lui ont travaillé d'arrache-pied, taillant la pierre dure et ne ménageant pas le ciment. Et puis ils ont épousé trois filles du pays et se sont fixés ici. Il n'y a pas si longtemps, me raconte Louis, les gars des villages voisins venaient faire danser les tendrons à Lavoûte. Les parents surveillaient les petites. «Tu peux faire danser ma fille, Loulou, ils me disaient, mais il faudra payer une chopine.» Le soir, les couples s'égaraient dans les bois, vers là-haut, précise Louis d'un geste vague pendant que j'achève mon pied de porc aux lentilles. Depuis mon départ, les menus «viande» des restaurants changent, mais la lentille est omniprésente, quel que soit le plat. À Retournac, je mangerai même une délicieuse confiture de lentilles au petit déjeuner. J'ai remarqué que plusieurs foires aux lentilles se dérouleront aux alentours du 15 août, en même temps que la célèbre fête de la Vierge du Puy.

Dès que possible, je profite du déjeuner ou des arrêts-café, thé, pour mettre mes notes à jour. Compte tenu de ma mauvaise mémoire, si je ne notais pas soigneusement chaque rencontre – homme, paysage ou animal –, le temps qu'il fait, les odeurs qui flottent, il n'en resterait que fumées au retour.

★★★

Depuis le Gerbier, la Loire a dégringolé d'environ 600 mètres. D'abord torrent bouillonnant, elle s'offre désormais des moments de répit entre deux rapides, dans des biefs naturels et tranquilles où elle s'exerce à la lenteur sous l'ombrage des saules. Je marche avec un plaisir retrouvé, heureux de constater que les petites douleurs que je ressens dans les jambes et la marque rouge due aux bretelles de mon sac à dos sont peu de chose à côté de cette évidence : j'ai le bonheur d'être en forme, d'aller encore à l'aventure, d'ouvrir des portes de vie. Je vais, entier, gaillard, content d'être là. Voilà ma philosophie, simple je le concède, mais elle me va fort bien.

À la sortie des gorges de la Loire, l'hôtel de Vorey est complet. Le patron dispose des clés du gîte d'étape et me les confie. J'ai ainsi le privilège d'être le seul occupant d'un espace aménagé coquettement pour six personnes, dans une petite maison qui domine la route et le bourg. Au restaurant, je m'offre un menu digne de Gargantua, me couche fourbu et sombre immédiatement. J'émerge après dix heures d'un sommeil profond comme un gouffre. Le beau soleil qui darde ses rayons sur le marché du dimanche matin, installé sur la placette, achève de me mettre de bonne humeur. Il y a des jours où la vie est un cadeau. Je viens de prendre mon petit déjeuner, mais les pains aux raisins sont si appétissants que j'en achète un pour le grignoter avec gourmandise sur la route.

La montagne n'a pas desserré son étreinte sur la Loire, mais aux sucs pointus ont succédé des collines herbues sur lesquelles les vaches limousines sont autant de taches mou-

MARCHER AU « CANON »

vantes. Je déjeune au restaurant d'un camping et repars
d'un pied neuf. À la sortie d'un virage, deux couples pique-
niquent joyeusement sur une de ces tables de bois destinées
aux automobilistes. À mon bonjour amusé, ils répondent
en m'invitant à boire un «canon». On discute, on rit. Ils
me demandent : D'où tu viens ? Où tu vas ? Le passage
d'un hurluberlu comme moi les distrait de leur tête-à-tête.
Apprenant que je m'apprête à descendre la Loire en canoë
à partir de Retournac, ils s'exclament : «Nous habitons
Feurs ! Arrêtez-vous pour la nuit chez nous.» Trop heureux, j'accepte et, après un café brûlant sorti d'une bouteille Thermos, me voilà reparti. Je les ai prévenus, j'ignore
totalement à quelle date je passerai. Mais j'ai pris leurs
numéros de téléphone, on verra bien.

À Chamalières-sur-Loire, Gillie, une jolie étudiante-
guide aux yeux bridés, me fait les honneurs de l'église du
XIIᵉ siècle. Bâtie sur une hauteur, elle domine la Loire. Une
abbaye, autrefois édifiée sur la rive, a été balayée par une
crue et reconstruite un peu plus haut. Elle dépendait de la
riche abbaye de Cluny qui en possédait bien d'autres. De
l'autre côté du fleuve, fièrement campé sur un promon-
toire, le château d'Arcias qui commandait toute la vallée
achève de tomber en ruine. Ce même 10 août, après sept
jours de marche, je termine à Retournac la partie piétonne
de mon aventure.

Demain est un grand jour : on me livrera mon canoë.

Retournac est un gros bourg aux maisons alignées de
part et d'autre d'une rue unique qui grimpe jusqu'au sommet d'une colline. Je m'installe au bord de la Loire, à l'hôtel
Beau Rivage, lequel, en fait de plage, donne directement
sur la départementale 103. Le jeune patron-cuisinier et
son amie sont manifestement très amoureux. Chaque fois
que je traverse la salle ou le couloir, je les trouve enlacés,

se murmurant des serments à l'oreille, émerveillés de leur rencontre, stupéfaits de leur amour. Ils sont craquants.

Ma journée de repos sera active. Avant l'arrivée du bateau, il me faut acheter de la nourriture, des pastilles de désinfection, au cas où je serais obligé de boire l'eau du fleuve, et un réchaud à gaz pour cuire mes repas. Sans oublier une chaîne avec cadenas si je veux garder mon canoë jusqu'à Nantes et éviter, non pas les voleurs, mais d'éventuels mauvais plaisants. Je dois aussi, d'urgence, prendre un cours de… navigation. À la terrasse, je bois une bière avec Vincent, barbe et dreadlocks. C'est un animateur qui emmène les gamins découvrir les joies du kayak au club nautique voisin. Apprenant que je n'ai jamais mis les pieds sur un canoë, il s'inquiète et me pose quelques questions qui me vrillent l'estomac :

– As-tu une toile pour éviter d'embarquer de l'eau à tout bout de champ ?

– Non.

– Alors, il te faut au moins une veste et un pantalon imperméables pour ne pas être trempé en permanence.

– Je n'en ai pas et je doute d'en trouver ici.

Il est d'accord sur ce point. En réponse à mes questions forcément naïves, Vincent me confirme qu'il vaut mieux, dans les méandres, passer par l'extérieur, là où l'eau est plus profonde. Lorsqu'il y a de grosses pierres, me dit-il, le fleuve en se précipitant entre les deux dessine un «V» à l'envers. Il faut passer dans la pointe du «V», c'est là qu'il y a le plus de profondeur. Le lendemain, à la fin du cours donné aux gamins, Vincent veille au grain pendant que je tente maladroitement le passage d'une petite chute que j'ai le bonheur de réussir. Avant de se quitter, il me confie qu'il connaît la Loire jusqu'au lac de Grangent. «Il y aura, me dit-il, des passages un peu techniques ; méfie-toi aussi des lâchages d'eau qui peuvent se révéler très dangereux en aval du barrage EDF.» L'apprentissage est succinct, certes, mais mon professeur de canoë, un sourire dans sa barbe ajoute : «De toute façon, arrivé à Nantes, tu sauras tout.» Dès le lendemain, j'apprendrai «sur le tas» et, si je ne sais pas, il faudra que j'improvise.

Je passe la journée à fouiner un peu partout pour trouver le matériel qui me manque. Le seul magasin susceptible de me vendre une chaîne et un cadenas ainsi qu'un réchaud à gaz est fermé trois jours par semaine et je ne compte pas m'éterniser ici. À Retournac, question emplettes, les commerces sont rares. En dehors d'un petit supermarché au bout du village, je note, dans ce que l'on pourrait appeler le centre-ville, trois coiffeurs, deux pompes funèbres et plusieurs agents immobiliers que je renonce à compter. Je réussis néanmoins à me procurer une partie de mon matériel mais pas dans une boutique. Alors que je me renseigne ici et là, Christine, une femme aimable et souriante, me conduit auprès d'Allen, son menuisier de mari, un Écossais. En fouinant dans son atelier, il finit par dénicher une chaîne et un cadenas qu'il m'offre en refusant tout argent avec la dernière énergie.

Thierry Guidet, dans l'excellent livre qu'il a écrit en descendant la Loire à pied[1], évoque deux cartes de navigation que je cherche en vain. Je vais avancer un peu à l'aveuglette, faute de cartes adaptées. Celles de l'IGN au 1/50 000 que j'ai achetées avant de partir me seront cependant utiles. Je me suis aussi procuré une pile impressionnante de cartes au 1/25 000. Mes deux nuits au *Beau Rivage* sont un peu agitées car je me fais un sang d'encre sur la suite du voyage.

---

1. Thierry Guidet, *La Compagnie du fleuve. Mille kilomètres à pied le long de la Loire*, Joca Seria, Nantes, 2004.

Serai-je à la hauteur ? Qu'est-ce qui m'attend sur le fleuve ? D'autant que tous mes interlocuteurs s'ébaudissent de mon parcours solitaire. Ce serait quand même plus prudent, me disent-ils, si une autre personne m'accompagnait… Allons donc, nous ne sommes pas au Kamtchatka. Et puis j'ai pu vérifier que j'ai une bonne étoile qui me permet de résister à tous les coups de Trafalgar.

Lorsque le canoë arrive, je le découvre avec une sympathie amusée. On m'a affirmé que les bateaux de la marque Old Town sont les meilleurs du monde. Je n'ai aucune raison d'en douter jusqu'à plus ample informé. Nous allons faire plus de 850 kilomètres ensemble et il convient de nous présenter. C'est un esquif extrêmement léger de 15 kilos environ, composé de couches très fines d'une matière résistante, que le constructeur appelle Royalex. De couleur vert foncé, il se redresse avec élégance à chaque extrémité. Un siège minuscule n'autorise qu'un passager. Si, par chance, je rencontre l'âme sœur dans mon voyage, il me faudra commander la taille au-dessus ou choisir une compagne ultralégère. Alain Blanchet m'a également apporté une paire de roues qui me serviront pour les «portages», quand un obstacle du genre pont dangereux ou barrage trop élevé m'obligera à sortir l'esquif de l'eau et à passer à pied. S'y ajoutent deux sacs d'un plastique particulièrement épais, qualifiés d'étanches. J'aurais l'occasion de vérifier qu'il n'en est rien. On les remplit, puis on roule la partie supérieure qui est munie d'un clip de plastique pour les maintenir fermés. Pour plus de sécurité, j'ai acheté un bidon d'une trentaine de litres également en plastique. Il est, contrairement aux sacs, vraiment étanche grâce à un couvercle à vis doté d'un joint. Convenablement fermé, il gardera à l'abri mes objets les plus sensibles à l'humidité (appareil photo, téléphone, agenda électronique pour les adresses, chargeurs et surtout mes notes).

Alain Blanchet ne peut que prendre acte de mon inexpérience. Nous mettons le bateau à l'eau. Je le regarde, admiratif, glisser sur l'onde mon futur complice. Je me le suis offert comme un cadeau du père Noël. Alors que l'on propulse le kayak avec une double rame, tout l'art du canoë consiste à se déplacer avec une pagaie unique. Alain me montre le geste si important de la propulsion et de la direction du canoë : il faut planter la pagaie en avant, tirer vigoureusement pour donner une impulsion au bateau puis tordre le poignet « en col-de-cygne » afin de corriger, comme avec un gouvernail, l'esquif qui, sinon, tournerait en rond. Un peu plus tard, des navigateurs chevronnés apprenant que je n'ai pas de pagaie de rechange me regarderont comme un cycliste qui se présenterait sans selle au départ du Tour de France. Eh oui, je suis bien un amateur… mais si je savais déjà tout, je trouverais sans doute moins de sel à l'aventure.

Il est bien tard pour partir le soir même de la livraison. Je n'ai aucune idée des difficultés à venir et n'ai pu obtenir de réponses à mes questions en ce qui concerne la vitesse à laquelle on se déplace sur l'eau. J'appareillerai donc demain à l'aube, sans aucun a priori sur le déroulement du voyage. À l'heure où je me couche, je suis bien incapable de prévoir quelque étape que ce soit. *Inch Allah !* En attendant, je traîne jusqu'à l'eau mon canoë que j'ai baptisé « Canard ». J'évolue un peu, m'exerce au col-de-cygne, puis le remise dans le hall de l'hôtel pour la nuit. Je dors mal. Je viens de me rendre compte, un peu tard, que j'ai réuni toutes les conditions pour passer de sales quarts d'heure. Mais les dés en sont jetés. Je suis dans la seringue, il n'y a qu'une sortie. Et je vais la prendre.

II

LE VIN DES FOSSILES

À l'aube, je n'en mène pas large lorsque, après un petit déjeuner frugal malgré la confiture de lentilles, je descends Canard sur la rive. Fini le temps des conseils sans doute utiles, à partir de maintenant, je suis seul dans l'aventure et j'ignore totalement ce qui m'attend comme ce qu'il convient de faire. Alain, au détour d'une phrase, m'a simplement prévenu : je dois éviter de mettre le canoë « en portefeuille ». Cette catastrophe se produit au moment où le bateau se place en travers du courant, se remplit et se coince. Dans ce scénario, sa destruction est quasi certaine. Pour le sortir de là, il faut un engin de levage, un palan ou un treuil. Inconscient jusqu'au bout, j'ai écarté une telle éventualité. Ma bonne étoile... Et puis si je commence à envisager le pire, je suis plutôt mal parti. Mon canoë ne se mettra pas en travers et, s'il s'y met, on avisera. J'attache mes sacs avec de la ficelle de moissonneuse-lieuse que j'ai ramassée dans un champ faute d'en trouver à Retournac. Je n'exclus pas un naufrage. Dans ce cas, il faudra que mes bagages restent solidaires de mon embarcation sinon j'arriverai en caleçon à Nantes. Malgré le temps frisquet, je suis légèrement vêtu : un T-shirt, un short et une paire de chaussures en caoutchouc genre snow-boots qui me permettront de marcher dans le fleuve en cas de nécessité, sans me mutiler les pieds. J'ai emporté deux T-shirts mais un seul chandail. S'il est mouillé, je risque de souffrir quand l'air fraîchit. Aussi ai-je pris soin de caler mes affaires dans le bidon, avec mon pull «polaire» que je suis décidé à garder sec quoi qu'il arrive.

Tout est prêt. Je pose un pied précautionneux dans le bateau. Il est d'une instabilité totale et je manque de tomber à l'eau. J'aurai besoin d'un peu d'expérience pour comprendre que je dois tenir les deux bords solidement afin de le stabiliser à la montée comme à la descente. Je n'en suis pas encore là. Un coup de pagaie vigoureux, c'est parti, je m'éloigne du bord, et j'exécute avec application un col-de-cygne afin de placer Canard dans le courant. Vais-je retrouver mes appuis ? Lorsque j'étais gamin, nous avions fabriqué avec mon frère Roger une périssoire, bateau rudimentaire composé de trois planches clouées. Nous le dirigions à l'aide d'un manche à balai enrichi à chaque extrémité d'une planchette qui nous tenait lieu de rame. J'ai beaucoup navigué sur le petit bief de l'usine dont mon père était le gardien et même essuyé une punition pour avoir osé sortir un jour de crue, malgré l'interdiction formelle de mon géniteur. Je constate rapidement qu'un canoë n'est pas une périssoire : la navigation, contrairement au vélo, ça s'oublie. Il est vrai que, depuis mes exploits nautiques, soixante ans ont passé.

En achetant un canoë, je réalise un projet qui a justement 60 ans. Je m'étais tellement amusé avec la périssoire dont nous sortions toujours les fesses trempées parce qu'elle prenait l'eau de toute part que je m'étais mis à rêver d'un canoë. Un vrai, en bois précieux, verni et tout. Je me ren-

seignai et, bien sûr, les prix étaient totalement hors de portée de ma bourse d'enfant pauvre. Je passais des heures à
admirer les modèles de canadiennes sur un catalogue que
m'avait envoyé une société d'Amérique du Nord. Mais
s'il m'était impossible d'acheter un bateau, je pouvais en
fabriquer un. Après tout, nous avions bien construit une
périssoire. J'ai cassé ma tirelire remplie grâce à la vente des
truites que je pêchais dans la rivière et des lapins bracon-
nés dans le bois voisin pour acquérir un plan, fort détaillé,
qui donnait, pièce par pièce, les éléments nécessaires à la
fabrication de la merveille. J'ai dû vite déchanter. Il fallait aussi des bois très spéciaux et ma tirelire était vide.
En outre, la scie à bûches et le marteau, mes instruments
de bricolage usuels pour me faire des traîneaux en hiver
et des caisses à roulettes en été, n'étaient pas des outils
assez sophistiqués. Le rêve est passé. Dès que j'ai consulté
le catalogue sur Internet, il est revenu avec une force qui
m'a stupéfié. Il me fallait un canoë et, cette fois, j'avais les
moyens de me l'offrir.

Un léger brouillard flotte sur la Loire. Emporté par le
courant, j'éprouve un sentiment nouveau, un bien-être
mêlé d'inquiétude, un plaisir enfantin mâtiné d'une sensation de danger latent. Lentement, les maisons de Retournac
défilent et j'ai bientôt dépassé la dernière. Me voilà seul.
Mille bruits montent de la Loire et de ses rives. Le flot
chuchote en contournant chaque pierre, il chante en passant sur les graviers. Les peupliers des rives ne sont pas en
reste et se prennent pour des harpes éoliennes, les millions
de feuilles émettant d'infimes cliquetis au moindre souffle
de vent. La pagaie, à chaque impulsion, lâche un «ploc»
et, lorsque je contrôle la trajectoire en effectuant ce col-
de-cygne qui me donne bien du fil à retordre, elle produit
un petit gargouillis dans les eaux bousculées. Sensations

nouvelles : lorsque l'on est à genoux ou assis au fond d'un canoë, le monde apparaît différent. La hauteur des rives et le mur végétal de ronces et d'arbres effacent la perspective et ramènent toute vision à la surface de l'eau. Un héron prend son envol, cou replié, ailes arrondies, pattes à la traîne, et va se poser un peu plus loin, se jugeant en sécurité. Dès que j'approche, il récidive et m'escortera ainsi un bon bout de chemin.

J'ai perdu de vue les dernières maisons et navigue depuis une dizaine de minutes lorsque je bute sur le premier obstacle, un barrage de dimension modeste. Le déversoir est un mur de pierre vertical côté amont, incliné à 45 degrés vers l'aval. Le fleuve s'étale et le franchit à grand bruit, mais, compte tenu du faible volume d'eau, le bateau ne peut pas passer. Faut-il déjà mettre pied à terre et le porter ? Je découvre, à ma gauche, une sorte de couloir bétonné qui avale une grande quantité d'eau. C'est une grosse gouttière, un genre de toboggan assez large pour mon esquif, qui charrie un volume d'eau suffisant pour m'éviter de gratter le fond. Béni soit l'ingénieur à l'origine de cette voie destinée aux bateaux à la descente et, sans doute, aux saumons à la remontée.

Après avoir décrit un large arc de cercle, je me positionne bien dans l'alignement de la goulotte et, d'un coup de pagaie énergique, lance Canard dans le passage. À l'instant où je suis entraîné avec une vitesse incroyable, j'ai un coup au cœur. Situé trop bas sur l'eau, je n'ai pas vu les énormes rochers que l'on a disposés au bas du couloir en guise de coupe-jet afin d'éviter que le courant violent ne ravine la rive. La tentative désespérée et un peu ridicule que je fais pour « rétropagayer » n'y change rien. Trop tard. Le canoë explose littéralement sur les rochers. Je fais un léger saut vers les étoiles avec plongeon à suivre, par chance dans l'eau et non sur les pierres. J'ai heureusement endossé mon gilet de sauvetage. La situation n'est guère brillante pour un début : un naufrage après dix minutes de navigation, le bateau plein d'eau, lourd comme un camion, et mes sacs qui nagent à la ronde au bout de leurs ficelles bleues. Vide, je l'ai dit, Canard pèse 15 kilos. Si l'on y ajoute plus de 500 litres d'eau, il doit atteindre, sinon dépasser la demi-tonne.

Je le tire péniblement sur la grève. Impossible de le soulever pour le vider, il est bien trop pesant. En procédant par petits coups, avec ma rame et mes mains, j'éjecte l'eau tout en prenant conscience qu'il manque une écope à mon équipement. Dans l'après-midi, un vieux bidon à confiture abandonné sur la rive fera l'affaire. Je le perdrai, bien entendu, au prochain chavirage. C'est d'ailleurs l'écope qui, renouvelée à chaque fois, sera l'unique perte lors de mes naufrages. Un examen de la coque me rassure, il est solide mon bateau. Une fois qu'il est vidé, je replace les sacs à l'intérieur et enregistre ma première leçon : *Bernard, avant de franchir un obstacle, regarde ce qui t'attend derrière. Autrement dit, tant que l'on ne sait pas où l'on va aboutir, mieux vaut ne pas démarrer.* J'essaierai de m'en souvenir. J'apprendrai par la suite que la décision à prendre n'est pas toujours évidente et qu'il existe, entre Retournac et Nantes, autant de cas particuliers que d'obstacles, certains piégeux, et ils sont nombreux.

La suite est proche du cauchemar. Après Retournac, la Loire est tumultueuse, torturée, caillouteuse, vireuse. Raconter en détail cette première journée serait fastidieux : une accumulation de chocs sur les rochers, de vagues qui s'abattent dans le bateau, d'échouages sur les galets. Le fleuve est pratiquement au plus bas de son débit – ce que l'on appelle l'étiage –, mais la forte déclivité le transforme néanmoins en torrent. Perché sur mon esquif instable, je mesure la modestie de mon savoir et de mon expérience. Chaque claquement de pierre sur le canoë m'arrache un soupir. Pourquoi ne me suis-je pas tenu à mon idée de départ? Je voulais, la première semaine, effectuer la descente dans un kayak, plus léger, plus maniable. J'y ai renoncé pour éviter des problèmes compliqués de logistique. J'aurais dû en effet me faire livrer un kayak, puis ensuite le renvoyer pour l'échanger contre un canoë.

Si Canard par bonheur est solide, il est en revanche peu maniable et je ne suis pas au bout des mauvaises rencontres. Un premier rocher en vue. D'un coup de pagaie, j'esquive l'obstacle et, changeant très vite de côté ma pagaie, j'en évite un deuxième pour me heurter au troisième qui, traîtreusement, se cachait derrière les autres. Je freine, je godille, je rame, je gouverne comme je peux, quand je peux. Je voudrais bien, parfois, m'arrêter, mais où? Les deux rives sont un mur de ronces et d'orties. Quand je chavire – cela se produit plusieurs fois dans la journée –, je suis bien obligé de me réfugier dans ces fourrés où je me déchire les jambes et me pique aux orties. Sans compter quelques coupures aux chevilles provoquées par des glissades sur les cailloux coupants. Dans ce cas, j'ai un remède miracle : je ris de moi. Faute d'humour, je n'aurais plus qu'à plier bagage et rentrer à la maison. Il n'en est pas question.

Vers 11 heures, un choc plus violent que les autres. Je parviens à éviter la chute, mais la pagaie m'échappe des mains. Elle file bientôt, à 2 mètres devant, aussi vite que le bateau, emportée comme lui par le courant bouillonnant. Qu'un obstacle se présente devant le canoë et je serai retardé ou arrêté dans ma course. Et alors, adieu la pagaie, adieu la navigation. Je me jette à plat ventre sur l'avant du bateau au risque de le faire chavirer, je pagaie avec les deux mains, regagnant peu à peu la distance qui nous sépare, et réussi à l'empoigner. Ouf, je retrouve ma position assise et mon moteur à muscles. Mais il est illusoire d'imaginer que je peux véritablement gouverner ce bouchon que la Loire dirige en réalité à son gré. Un peu plus loin, je parviens à m'arrêter pour vider l'eau embarquée au cours du sauvetage de la pagaie.

Dans un rapide plus rapide et plus abrupt que les autres, alors que je bataille, pagayant à droite, pagayant à gauche, j'entends soudain un petit bruit sec au fond du canoë. Je suis si tendu, les nerfs à vif, que j'en devine tout de suite l'origine. Il manque un verre à mes lunettes que j'ai mises en sautoir au bout d'un cordon. Elles n'ont pas résisté à toutes ces saccades. Je tâtonne, parviens à le saisir et à le glisser dans ma poche, tout en luttant pour ne pas être totalement livré aux caprices du fleuve, ballotté par les vagues, aspergé par les embruns. Saisi d'un doute, je tripote ma monture et constate, effaré, que le second verre manque également. Je repars en chasse et, miracle, je mets la main dessus. Ouf, je pourrai lire mes cartes. Au premier arrêt, je remets les deux verres en place et range mes lunettes à l'abri dans le bidon. À la réflexion, je n'en ai pas besoin pendant que je navigue.

Secoué dans tous les sens du terme par ces incidents, je m'échoue sur une plage pour reprendre mon souffle et mes esprits. Quand je repars, un couple d'Anglais flegmatiques me double sur un canoë rouge, pagaies jaune fluo. Contrairement à moi, ils semblent avoir fait alliance avec l'onde. Ils repèrent les meilleurs points de passage, donnent de temps en temps un coup de pagaie léger et paresseux, glissent avec une aisance qui me mortifie. Combien de jours me faudra-t-il pour atteindre pareille décontraction et tant de dextérité ? Je les retrouverai le soir, au camping de Bas-en-Basset, tranquillement installés devant une grande tente, dégustant un verre de vin de pays.

Pour ma part, je suis en piteux état. J'ai certes des muscles, des épaules et des abdominaux, mais les muscles heureux n'ayant pas d'histoire, ils ne se manifestaient guère jusqu'à présent. Sollicités à l'extrême, ils se rappellent à mon bon souvenir. Ayant trempé presque toute la journée dans le fleuve dont l'eau n'est heureusement pas aussi froide que je le craignais, je fais une réaction cutanée sous forme d'une jolie chair de poule. Mes jambes sont lacérées, maltraitées par les orties qui m'ont laissé en souvenir de minuscules boursouflures blanches. Mes vêtements sont mouillés, comme la carte que j'avais mise dans ma poche. Une petite longue-vue destinée à observer les oiseaux, pleine d'eau, me refuse tout service. Dans un des sacs «étanches», mes vêtements sont à tordre. Quant à Canard, j'ai bien envie de le rebaptiser *Titanic*. Lui aussi porte les stigmates des nombreux chocs qu'il a endurés. Et je suis affamé.

★★★

Le camping est immense. Des dizaines et des dizaines de caravanes y sont installées à l'année. Certaines disposent même devant leur porte d'un petit jardin protégé par quelques piquets reliés par un fil de fer ou une ficelle. Un lapin très domestique se promène d'un endroit à l'autre, avec nonchalance. S'il excite manifestement les chiens, il ne les craint pas car le règlement oblige à les tenir en laisse. En cas d'alerte, Longues-Oreilles, d'un bond, plonge sous un véhicule.

Le gérant du club de canoë-kayak de Bas-en-Basset, Claude Ganne, m'explique que la population ouvrière de Saint-Étienne, faute d'avoir les moyens de s'offrir une résidence secondaire, vient passer ici week-ends et vacances. J'ai d'ailleurs constaté que les gens se connaissent et se saluent avec urbanité. Ils parlent avec des intonations faubouriennes qui n'ont plus rien à voir avec le léger accent méridional qui m'a accompagné jusqu'à Retournac. Ce camping n'est pas le plus grand. Claude me précise qu'un autre, encore plus vaste, situé de l'autre côté de la ville, compte environ neuf cents caravanes ou mobile homes. Une vraie cité. Si le bord de Loire tient lieu de bord de mer, les baigneurs sont peu nombreux et seuls quelques gamins font trempette sous l'œil des mères inquiètes. L'atmosphère est sympathique et bon enfant, surtout depuis le départ d'une bande d'adolescents qui, pendant plusieurs années, menés par une égérie redoutable, terrorisaient le camping. Ils ont émigré ailleurs et, cette saison, le calme est revenu.

Après une telle journée, je n'ai guère envie de passer la nuit dans ma minuscule tente. Mes immersions successives et une dépense incroyable d'énergie provoquent une hypothermie. Je grelotte malgré mon pull bien sec. Il n'y a pas d'hôtel à la ronde. Le patron du camping me loue, au prix d'une chambre trois étoiles, une cabane dont il me vante un confort qui se révèle purement fictif: un simple local en planches accolé à une caravane. Le sol est jonché de feuilles mortes, chaque chose est nappée d'une couche de poussière séculaire. «Vous me le rendrez propre, surtout», me dit-il, sans rire. Cet homme est un fou de rallyes automobiles. Une grosse cylindrée allemande, lustrée avec un soin jaloux, est garée près de la cabane où il encaisse les locations. Sitôt la saison terminée, il s'aligne dans différents rallyes. En guise de trophées, il a cloué les plaques des courses auxquelles il a participé sur les portes d'un vaste garage. Cela me rappelle les prix des comices agricoles que les fermiers du bocage normand de mon enfance exposaient fièrement sur les façades des étables. Le gaillard est sans doute moins doué pour la conduite que pour les affaires. Quelques sorties de route l'ont cassé comme petit bois. Il peine à marcher et, pour me conduire à la cahute qu'il m'a louée, il doit enfourcher un quad qu'il fait pétarader dans les allées. Ce type dont la mobilité est si réduite n'est-il pas un danger au volant, pour lui-même comme pour les autres ? Peut-être, mais à l'évidence cette activité donne un peu de sel à sa vie.

Ma «chambre» n'a pas de salle de bains. Pour 1 euro supplémentaire, je prends une douche dans le local collectif, au milieu du camp. Après avoir sorti mon linge trempé du sac «étanche», je le suspends sur un fil tendu entre deux arbres, puis je vais me coucher pour une nuit que j'espère réparatrice. Elle ne le sera pas. Mon sac de couchage léger m'offre à peu près la même température dedans que dehors. Bas-en-Basset est en altitude moyenne, la nuit est glaciale et le lit ne comporte pas de couverture. Je me réveille à plusieurs reprises, grelottant avec entrain. Au matin, le linge est encore mouillé et je m'habille avec un petit frisson. Mes vêtements sécheront sur moi. Une heure plus tard, mon T-shirt est déjà sec, le short se fait davantage prier. Il doit penser que rien ne presse dans l'attente du prochain naufrage.

Mes épaules et mes abdominaux tirent un peu. Mon canoë étant court, il faudra que mes deltoïdes et mes biceps tiennent la distance. La brûlure des orties s'est dissipée, ne restent plus sur mes jambes que les stigmates des ronces et des cailloux. Dans l'ensemble, j'ai plutôt le moral. J'emmaillote dans un grand carton mon sac à dos et mes godillots pour les renvoyer chez moi. Désormais, je n'en ai plus besoin. Alors que je cherche la poste dans une zone pavillonnaire où je n'aperçois nulle âme capable de me renseigner, une jeune femme en voiture avec un enfant sur le siège arrière s'arrête. «Oh, vous êtes loin. Justement j'en reviens. Montez, on y sera en cinq minutes.» Et, pendant que je fais des guili-guili à son adorable petite fille, la charmante dame m'amène à bon port. Il y a des jours où j'ai envie d'embrasser le monde.

De retour au bord de l'eau, j'installe mon barda d'une manière qui sera définitive : le bidon et un sac «étanche» à l'arrière, l'autre sac à l'avant avec la musette de nourriture. C'est un petit sac à dos isotherme acheté au supermarché dans lequel j'ai stocké de quoi me restaurer au cas où... Mais, cher lecteur, ne te méprends pas : je ne tiens pas absolument à jouer les Robinson. Chaque fois que je pourrai goûter aux douceurs du confort moderne, d'un bon lit et d'une cuisine roborative ou d'une spécialité locale arrosée d'un verre de vin de pays, mon côté hédoniste me soufflera de n'y jamais manquer. Je complète mon installation en ligotant à l'avant le chariot de plastique destiné aux portages, car je n'ai nullement l'intention de porter mais de rouler.

À partir de Bas-en-Basset, la Loire prend une allure moins torrentielle, si j'excepte quelques passages un peu techniques dont je me tire sans m'inonder les pieds. J'y prends même un certain plaisir, préférant les déclivités un peu fortes où le courant m'emporte aux zones de calme où je dois tirer sur la rame. Le col-de-cygne est désormais devenu presque automatique. Quand je n'ai pas une vue très claire de ce qui m'attend en aval, debout dans le canoë, j'essaie de repérer le trajet le moins périlleux au milieu des courants et des contre-courants qui me font repartir en arrière, des rochers, des chutes d'eau et des hauts-fonds où je risque de m'échouer. On appelle cela «lire la Loire». Je ne suis plus illettré mais pas encore très savant. Je parviens à diriger le bateau sans commettre trop d'erreurs, chacune étant sanctionnée par un «tchac» sur la coque qui m'angoisse. Et si c'était le choc fatal, celui qui ouvrira une voie d'eau? Mais Canard, s'il a parfois du mal à choisir entre la navigation sur l'eau ou sous l'eau, confirme en revanche qu'il est très solide.

À Aurec, sur un vaste pré, l'aire de loisirs comprend un snack où je mange deux crêpes. Je préférerais évidemment un déjeuner un peu plus gastronomique, mais j'ai un fil à la patte. Pour me rendre sur les hauteurs, là où sont les restaurants, il faudrait laisser le canoë au bord de l'eau. Pourquoi pas? Mais je risque de me faire voler tout mon attirail. Sans compter la tentation, pour l'un des adolescents qui chahutent en se lançant des gerbes d'eau, d'aller faire un tour avec Canard et de l'abandonner une fois son exploit accompli. Voilà pourquoi, jusqu'à la fin du voyage, je resterai en quelque sorte amarré à la Loire.

Je repars sur une eau parfaitement stagnante. Je suis entré dans le bief du réservoir de Grangent, un barrage EDF. Je devrai pagayer plus d'une vingtaine de kilomètres avant de l'atteindre. Je n'ai aucune chance de trouver ce soir une ville pourvue d'un hôtel, pas même, si j'en crois ma carte, un village doté d'un gîte d'étape. J'entame donc la lancinante progression: plonger la rame dans l'eau, tirer, col-de-cygne, plonger la rame dans l'eau… et recommencer. Pour tromper l'ennui, j'observe. Un vol de hérons cendrés aux ailes arrondies, une flèche bleue, au ras de l'eau – c'est un martin-pêcheur –, un plouf discret, près de la rive – c'est un ragondin qui se met à l'abri dans son

logis sous une berge –, cette boule noire qui glisse là-bas
– une poule d'eau. Je chante, je me récite des poèmes, j'en
ai un bon stock, surtout en alexandrins. Victor Hugo, José
Maria de Heredia et Baudelaire me tiennent compagnie.
S'y ajoutent le répertoire presque complet de Brassens et
Léo Ferré chantant Aragon. Et puis naturellement toutes
les chansons qui ont trait à la navigation et à l'eau.

> *Dans une vieille coque en bois,*
> *Qui vient de Samoa,*
> *Je vais faire un trois-mâts,*
> *Après quoi je trouverai*
> *Une fille à aimer*
> *Qui partout me suivra…*

« Les copains d'abord » sur le bateau « qui n'a jamais viré
de bord » fait partie du concert, mais « ma petite est comme
l'eau, elle est comme l'eau vive… » n'est pas écartée sous
prétexte que c'est un ruisseau. Nul ne s'étonnera si l'une
de mes préférées est *Le Galérien* :

> *Je m'souviens ma mère m'aimait*
> *Et je suis aux galères*
> *Je m'souviens ma mère disait*
> *Mais je n'ai pas cru ma mère…*

Elle se termine par :

> *… Pendant que j'rame aux galères.*

Il fait plutôt frais et, de temps à autre, j'augmente le
rythme de la pagaie pour me réchauffer. Des canots à
moteur raient le plan d'eau en rugissant ; quelques pêcheurs

sont assis sur une souche ou un petit tabouret; certains ont même une chaise en plastique pour témoigner que c'est «leur» coin; ils surveillent mollement les bouchons flottants au bout de quatre ou cinq cannes à pêche alignées. Mon arrivée, bizarrement, semble davantage les perturber que les canots à moteur vrombissant et provoquant des vagues qui courent et clapotent tout au long des rives. Je les salue bien haut. Quelques-uns ne daignent pas me répondre, alors je les relance et les titille d'un ironique «Ça mord?» Certains, par leur mimique, me font savoir que, s'ils pouvaient, ce seraient eux qui me mordraient. Dans l'ensemble, ils sont plutôt sympathiques et j'ai une grande tendresse pour ces forcenés de l'immobilité qui moulinent du rêve, l'œil rivé sur le bouchon.

***

La soirée s'avance. D'un coup, la lumière baisse, un énorme nuage mange le ciel. La température descend brusquement. Les premières grosses gouttes d'un orage dessinent des milliers de ronds sur la surface étale du fleuve. Il faut faire halte. Sur ma droite, perché sur une colline, un village, Saint-Paul-en-Cornillon d'après ma carte. Il semble mort. Je tire le bateau sur un pré, sors mon poncho et observe les maisons. Pas un seul mouvement. J'ai un moment de découragement. Me voici condamné à camper dans ce pré humide, avec en perspective une nouvelle nuit glaciale sous les trombes d'eau que le ciel promet. Le nez en l'air, j'examine les bâtisses dans l'espoir d'apercevoir quelque chose qui ressemble à un hôtel. Rien. C'est alors que j'entends un bruit dans mon dos. Un homme traverse la Loire sur un petit canot à deux rames et vient s'échouer sur la rive. À vue de nez, il a la quarantaine, des yeux clairs derrière ses lunettes, des cheveux poivre et sel avec une calvitie bien avancée qui lui prédit un avenir découvert comme dans mon cas. Sur son épaule, un panier de pêcheur. Malgré les gouttes, il porte simplement un pull sur un T-shirt mais ne semble pas pressé de fuir l'orage. Il prend le temps d'attacher soigneusement son canot. Je le salue et lui explique la raison de ma présence ici. Il parle d'une voix posée et basse, avec un fort accent de Saint-Étienne.

– Y a-t-il dans le village un hôtel, une chambre d'hôte, un gîte où je pourrais passer la nuit ?

Il se gratte la tête et son silence est explicite. Il n'en sait rien, mais sa moue semble déjà une réponse. Sortant un portable de sa poche, il compose un numéro.

– Je vais demander à ma femme… Est-ce que tu sais s'il y a un hôtel ou une chambre d'hôte à Saint-Paul ? Non, hein, c'est bien ce que je pensais… C'est un homme qui descend la Loire en canoë. Et avec l'orage qui arrive. Oui, jusqu'à Nantes… Ben oui, je vais lui demander…

Il baisse légèrement la main comme s'il voulait se servir du téléphone comme d'un micro :

– Nous pouvons vous héberger, si vous voulez…

Bien sûr que je veux. Un quart d'heure plus tard, le canoë rangé dans son petit jardin, Alain et moi entrons dans une maison à flanc de colline qui domine le fleuve. Jocelyne, sa femme, arrive en voiture. Cheveux courts et silhouette élégante, elle a un sourire charmant. Tous deux semblent ravis de l'aventure. Deux de leurs amis ont rallié Roanne à Nantes en kayak. Pendant l'apéritif, Jocelyne prépare un repas rapide, et Alain me raconte qu'ils ont acheté cette maison en ruine. Il l'a retapée avec une minutie admirable en une dizaine d'années. J'admire en amateur un peu éclairé la qualité des finitions, les carrelages de la cuisine et de la salle de bains alignés au micron. Alain était ouvrier professionnel dans une usine de mécanique à Saint-Étienne qui a fermé ses portes. Après une formation, il s'est reconverti comme graphiste dans une imprimerie de l'armée. Ces jours derniers, il a tremblé lorsque le gouvernement a annoncé l'abandon d'un certain nombre de casernes et qu'il a vu se profiler un nouveau licenciement. L'imprimerie heureusement ne faisait pas partie du lot. Il adore son nouveau métier et je comprends que la rigueur professionnelle dont il a fait montre ici et auparavant comme ajusteur doit faire merveille dans le travail si précis du graphiste. Jocelyne, elle, était esthéticienne à Saint-Étienne. Elle a vendu son affaire voici un an et travaille à domicile, recevant des clients pour des massages ou de la «réflexothérapie».

Alain aime la Loire. «Je l'ai vue pour la première fois quand j'avais 2 ans. C'est ma vie ici. Et quand j'ai su que cette maison était à vendre, je n'ai pas hésité une seconde.» Aujourd'hui, il a profité de son jour de congé pour aller aux champignons dans «son» coin sur l'autre rive. Ce n'est pas encore la saison des cèpes et il en est revenu bredouille. Mais ça ne va pas tarder, avec toute cette pluie… Il ne craint pas trop la concurrence car il faut une barque pour traverser et «son» territoire est du coup bien protégé des intrus. Jocelyne vient de la Haute-Loire. Ils ont chacun un petit kayak pour faire des promenades. Le paysage, ici, a changé. Avant la construction du barrage de Grangent en 1958, le fleuve courait librement dans la vallée de chaque côté d'un îlot situé juste en face de leur maison. Depuis lors, l'île a été noyée. De l'autre côté de la vallée, le fermier a vendu sa ferme à EDF qui l'a transformée en club nautique. Difficile de dire, en allant me coucher, si le plaisir que j'ai pris à cette soirée tenait à la chaleur de l'accueil ou au bonheur d'avoir évité une nuit à grelotter sous la tente. Mais au matin, la qualité de notre relation m'a ôté le doute.

Avant le petit déjeuner, Alain a regardé la météo. Elle est épouvantable. Orages sur toute la France, en particulier sur la Haute-Loire. Jocelyne me propose de prolonger de vingt-quatre heures mon séjour, au sec et au chaud. Il n'en est pas question. Je ne suis pas sûr d'atteindre Nantes dans le délai que je me suis fixé et ne veux pas perdre un seul jour avant d'y voir clair. Ajoutons que ce genre de situation me stimule plus qu'elle m'inquiète ou me décourage. Il y a chez moi un certain plaisir à rechercher mes limites. C'est sans doute moins du masochisme qu'un moyen de me tester. Je manque de confiance en moi et j'ai toujours la volonté de vérifier jusqu'où je peux m'aventurer. Peut-être faut-il voir là un petit cousinage avec Tartarin de Tarascon, une minuscule vantardise que l'on pourrait traduire ainsi : « Bien sûr que ça va être dur, mais il ne faut pas me prendre pour une gonzesse. »

Maternelle, Jocelyne bourre mes poches de fruits confits, d'une pomme et d'une pêche. Ils me raccompagnent jusqu'au bateau et nous nous séparons à regret. Quelques kilomètres et quelques averses plus loin, passant au pied du superbe château médiéval de Cornillon, je les retrouve tous les deux au bord de l'eau. Pour un dernier au revoir. Peut-on, lecteur, faire plus belle rencontre ?

★★★

La journée qui s'annonçait difficile commence mal. Un fort vent de nord souffle dans le nez de Canard. J'ai beau tirer de toutes mes forces sur la rame, je progresse très lentement sur cette eau qui n'est animée d'aucun courant porteur. Alors qu'arrive le premier grain, j'ai une pensée pour les fidèles qui, en ce 15 août, vont processionner au Puy-en-Velay en l'honneur de la Vierge. Qu'elle déclenche les foudres du Ciel et déverse ses larmes sur le mécréant que je suis, rien d'étonnant. Mais sur eux ? D'autant qu'elle ne les verra pas, séparés du ciel qu'ils seront par un mur de parapluies. L'averse est drue, glaciale et fouettée par le vent, elle me mitraille le visage. Je suis engoncé dans mon grand imperméable bleu de randonnée qui, en position assise, tombe jusqu'au sol et dissimule même mes pieds. J'ai enfilé par-dessus le gilet de sauvetage. L'ensemble doit présenter une silhouette assez loufoque, mais je n'en ai cure. Aveuglé par la pluie, je tente de me préserver grâce à mes lunettes, mais c'est pire. Un méchant clapot provo-qué par le vent secoue Canard qui tressaute comme si le fleuve était en tôle ondulée. Le bief est immense. Planter la pagaie, tirer, godiller, la soulever de nouveau, planter… le mouvement doit être assez lent pour que le bateau trouve le temps de se remettre en ligne grâce à la torsion du poi-gnet en col-de-cygne que je maîtrise de mieux en mieux. Les hirondelles volent si bas qu'elles semblent glisser sur l'onde sans trop se soucier du galérien qui pioche l'eau sans répit.

Sur la rive droite, entre Saint-Paul et le magnifique châ-teau de Cornillon, les belles maisons, toutes orientées vers la Loire, sont nombreuses. J'ai peu le loisir de les admirer car le vent forcit encore et je fais presque du sur-place. Afin de prévenir les embardées du bateau, au lieu de pagayer d'un seul côté, ce qui est moins fatiguant, je pagaie deux coups à droite, deux coups à gauche. Épuisant. Je m'essouffle, mais pas question d'arrêter, les bourrasques me feraient reculer. Les grains succèdent aux grains. À intervalles réguliers, je vois l'averse arriver de loin lorsque les grosses gouttes explosent sur la surface de l'eau et qu'une sorte de brouillard, de tapis lumineux, fond sur moi et m'enveloppe.

Même les oiseaux se sont mis à l'abri.

Au milieu de la matinée, fourbu et transi, je me réfugie sous l'arche d'un pont latéral qui permet le passage de la route. Glacé, j'avale les fruits secs, la pêche et la pomme de Jocelyne. Une fois requinqué, je me jette de nouveau dans la bataille contre le vent. Vers midi, j'attache Canard à un ponton qui protège un petit port fluvial prolongé par une plage totalement déserte. La Loire est un fleuve vraiment particulier. Son sable, extrêmement fin, offre vers l'aval des plages qui vous donnent l'impression d'être au bord de la mer.

Trois maîtres nageurs, condamnés au chômage technique par le temps, achèvent de déjeuner sous une sorte de hangar-restaurant. J'ai quelques difficultés à commander un croque-monsieur tant je tremblote. Mais cet apport calorique ainsi qu'une grosse part de gâteau au chocolat et un café brûlant me revigorent. Les maîtres nageurs m'indiquent que le barrage est à 2 kilomètres environ. En principe, il est interdit de s'en approcher. Mais, ajoutent-ils, «tout le monde» aborde par la gauche où un plan incliné permet de tirer les bateaux au sec. Quoi qu'il en soit, les berges abruptes empêchent l'accostage avant le barrage. Quelques averses plus tard, je découvre l'ouvrage qui, vu du bateau, est impressionnant. Il l'est encore davantage de l'autre côté, là où le mur de béton barre la vallée. J'échoue Canard sur le plan incliné, glisse les roues sous son ventre et le tire sur la petite route qui traverse la vallée au sommet du barrage.

Un homme m'arrête avec une sympathie mêlée de compassion.

– Sale temps pour le canoë, pas vrai?

Il s'inquiète d'où je viens.

– De Retournac.

– Où allez-vous?

– À Nantes.

– La Loire en canoë, mon rêve!

Il interpelle son épouse qui bavarde plus loin pour la prendre à témoin, mais elle continue, impassible, sa conversation avec une autre femme. Il poursuit:

– C'est dangereux?

– Non.

– Il faut une autorisation?

– Je ne crois pas, je n'en ai pas demandé.

– Et vous faites souvent des trucs comme ça?

– Ordinairement, je fais de la marche à pied.

– Compostelle, vous avez «fait» Compostelle?

– Oui.

– Mon rêve. C'est dur, non?

Pourtant pressé de passer le barrage et de me débarrasser de l'importun, je dis alors une grosse bêtise, sans doute poussé par une petite pulsion de vanité.

– Vous savez, quand on a fait la route de la Soie à pied, Compostelle...

– Vous... vous avez fait la r... mais la *Longue marche*, c'est vous alors? Comment vous appelez-vous déjà?

Bien fait pour moi, me voilà piégé.

– Bernard Ollivier.

– Vous... ah ben ça alors. La route de la Soie, mon rêve. J'ai lu tous vos livres. Putain, j'y crois pas...

À mon grand soulagement, il s'envole vers sa femme pour lui annoncer la nouvelle et j'en profite pour m'esbigner, suivi par le bateau sur ses roulettes. Je dégringole la route étroite et pentue qui rejoint en lacets la rive gauche de la Loire. J'emprunte un chemin puis un sentier où le canoë trouve difficilement sa route. En moins de dix minutes, j'ai franchi l'obstacle et, sous la masse imposante du barrage, je remets Canard à l'eau.

***

La navigation a changé. Le courant est véloce même si le débit est très faible. Je franchis aisément une suite de petits rapides sans trop de dégâts pour mon bateau. Je ne suis pas encore très doué pour «lire» la surface et en tirer des conclusions sur la profondeur de l'onde. À la suite de mes fautes de «lecture», Canard se traîne de temps à autre, le ventre sur les galets. La journée avance. Il pleut moins. Il va me falloir trouver un gîte pour la nuit. Je suis bien trop loin de Saint-Étienne, à quelques kilomètres vers l'est. À Saint-Just-Saint-Rambert, il n'y a qu'un seul hôtel, fermé pour cause de 15 août. Dans les rues vides, pas un bistrot ouvert. Le désert. La pluie revient. Je pense trouver un hôtel à Andrézieux mais il n'y a qu'un restaurant. Je n'y dîne pas même si mon estomac me tarabuste, car je donne la priorité à l'hébergement. Avec ce temps de chien, il ne s'agit pas de ralentir l'allure.

À Andrézieux se déroule ce jour-là une curieuse manifestation : «L'enduro de la carpe.» Plusieurs dizaines de pêcheurs, par équipes de deux, participent à un concours qui s'étale sur quatre-vingt-seize heures. Durant ces quatre jours, ils doivent traquer les plus grosses prises mais en *no-kill*. Dès qu'un poisson est pêché, un commissaire vient le mesurer et le peser, puis la bête est remise à l'eau. En

2006, une équipe a ainsi sorti 312 kilos de carpes dans le délai imparti. Cette année-là, l'ensemble des pêcheurs a attrapé environ 2 tonnes de poissons et la plus grosse carpe pesait 17 kilos. Un homme à casquette me suggère d'aller près du quartier général des pêcheurs où il y a, me dit-il, de grandes tentes. Vous trouverez bien un endroit où dormir. Peu soucieux de passer une nuit au milieu de pêcheurs insomniaques, je décide de poursuivre et d'aller jusqu'à Veauche, assez proche.

Le village est à cheval sur la Loire et ses deux moitiés sont reliées par un pont très haut sur pattes. À son abord, un bruit de cataracte m'incite à la prudence. J'échoue Canard et m'approche à pied. Le débit se fait sous une seule arche et le volume d'eau porterait le bateau sans problème s'il n'y avait, juste derrière, de grosses pierres qui rendent le passage périlleux. Avec une prudence qui m'étonne, je décide de progresser «à la corde». La méthode consiste à laisser le bateau à vide chercher seul son chemin, en le retenant par l'arrière à l'aide d'une grosse ficelle. Je mets donc pied à l'eau et laisse Canard s'aventurer dans le courant. Il file tout d'abord bien droit, mais un rocher qui affleure le déséquilibre, il chasse vers la gauche, heurte une grosse caillasse, se met en travers, et se retrouve bloqué par une deuxième. En moins d'une seconde, l'eau s'engouffre. Impossible de retenir Canard, la corde m'est arrachée des mains. C'est le pire scénario, celui qu'Alain Blanchet m'a décrit à Retournac. Lorsque le bateau se met «en portefeuille», il est théoriquement impossible de le sortir de cette mauvaise passe, à moins de disposer d'un palan ou d'un engin de levage puissant. Le canoë, coincé à chaque extrémité, subit tout le poids de la chute d'eau et risque de se casser en deux. En effet, au flot qui a rempli Canard s'ajoute le poids de la cataracte qui s'abat dessus sans répit. Quel objet d'apparence aussi fragile pourrait résister à une telle pression?

Dans l'eau jusqu'au ventre, luttant contre le courant violent, je me penche sous l'étrave et tente de faire bouger le bateau, de le faire passer par-dessus la pierre qui le coince à l'avant pour le libérer de la charge qui commence à le broyer. Je glisse une épaule sous la coque et me redresse, poussant de toutes mes forces. Il faudrait pour le sauver le soulever d'une trentaine de centimètres. Dès le premier essai, je comprends que c'est exclu. Il n'a pas bougé d'un pouce. Après deux ou trois tentatives, prenant conscience que la tâche est impossible, je risque une autre manœuvre : faire tourner le bateau à 180 degrés de telle manière que l'eau, en tombant sur la coque, chasse Canard au lieu de l'emprisonner. Mes efforts sont tout aussi vains, le bateau ne bouge pas et vibre comme s'il tremblait à la perspective de sa mort prochaine. Au bout d'une vingtaine de minutes, pris de désespoir, je renonce et monte sur un rocher. Canard résiste encore, mais pour combien de temps?

Il n'y a pas de maisons aux alentours. Je ne peux compter sur aucune aide. Les sacs, au bout de leurs ficelles, dansent une gigue absurde, tressautant lorsque le courant devient plus fort. Je constate tout à coup que j'ai pris le problème par le mauvais bout. L'arrière du bateau est lui aussi bloqué par une pierre, mais elle est beaucoup moins haute et très moussue. Peut-être sera-t-il plus facile de faire riper Canard. Je replonge sous la coque, assure une prise sur mes épaules et, d'un coup de rein énergique, jette toutes mes forces vers le haut. Je suis bousculé et projeté dans l'eau. Canard est libéré mais pas complètement. Le nœud qui est au bout de la corde, coincé entre deux cailloux, le retient encore. J'essaie vainement de le dégager, puis sors mon couteau et la tranche. Le bateau tourne maintenant en rond dans les remous provoqués par la chute d'eau, les bagages étalés autour de lui comme les pétales d'une marguerite dont il serait le pistil. Je le tire sur la grève et, après l'avoir vidé une fois de plus et sans l'aide de l'écope partie au diable, j'examine les dégâts.

Canard a souffert et un début de pliure sur la coque indique qu'il n'aurait pas résisté longtemps. Mais il n'y a aucune voie d'eau qui m'obligerait à une longue réparation ou à poursuivre à pied. Le bidon qui abrite les objets les plus précieux a tenu tête et son contenu est au sec. Je ne peux en dire autant du reste des affaires. Mes réserves de nourriture sont détrempées, le pain part en miettes molles et collantes. Les deux sacs «étanches» sont pleins d'eau. Je tends une ficelle entre deux acacias sur la berge et j'y accroche les chiffons mouillés. Mon duvet et le matelas de mousse, totalement inutilisables, pèsent leur poids d'eau. Mon deuxième T-shirt, mes sous-vêtements, ma serviette de toilette, la tente… tout dégouline comme dégoulinent les vêtements que j'ai sur le dos.

Que faire?

Autour de moi, je ne vois que l'arche du pont qui aurait pu me servir d'abri… si j'avais eu du matériel de camping en état. Le soir tombe. J'ai froid à la suite de ma longue station dans l'eau mais aussi de la température qui chute. Si, par une nuit pareille, je me hasarde à dormir mouillé sur le sol détrempé, je suis sûr de finir mon voyage à l'hôpital. Rien à faire, il faut que j'aille chercher de l'aide. Je laisse mes affaires alignées sur la corde, retourne Canard sous lequel je place les sacs et me voilà parti.

Je me dirige vers un petit château un peu délabré qui semble abandonné. Dans ce qui a dû être les communs, il y a de la lumière. Je frappe. Une jeune fille élancée, fleurie d'acné juvénile, m'ouvre. Avant que je prononce le moindre mot, elle me dit : « Je suis seule, revenez demain matin ou ce soir très tard, papa n'est pas là », et, guère rassurée par mon aspect bizarre et mes vêtements ruisselants, elle me claque la porte au nez. Je repars vers les maisons que l'on aperçoit à quelques centaines de mètres.

En chemin, je m'interroge : si j'étais en Asie centrale, royaume des nomades, cent foyers, aussi modestes soient-ils, seraient prêts à m'accueillir. Vais-je trouver ici, dans cette bourgade, un peu de cette hospitalité qui, avec les facilités de la voiture et des déplacements, a perdu toute signification chez nous ? Dans notre pays sédentaire, la tradition de l'accueil autrefois offert au voyageur a perdu son sens. Avec les moyens de communication, il est toujours possible de rechercher un gîte ou un hôtel, à condition d'aller un peu plus loin. De nos jours, l'hospitalité est un métier, ceux qui vous l'offrent le font contre de l'argent, et cela n'a rien d'infamant. Le tout est d'aller vers l'hôte tarifé. Mais je suis à pied, comme on l'était jadis. Je sais aussi que, en ville comme dans les villages, à la nuit tombée, on s'enferme à double tour. Une porte s'ouvrira-t-elle ? Dans le hameau où j'arrive, il y a bien un bar-restaurant, mais nous sommes le 15 août, et il est fermé. Je frappe à une maison dont le garage est au rez-de-chaussée et le logement au premier étage. Une femme vient m'ouvrir. J'explique mon problème et demande s'il y aurait, à proximité, un hôtel où passer la nuit. Il n'y en a pas. Elle propose d'abord de m'accueillir, mais un homme, que je ne vois pas, lui dit quelque chose.

– C'est vrai, dit-elle. Ça va être difficile. Mon fils que nous voyons rarement vient d'arriver et j'ai toute la famille à dîner. Certains vont rester coucher.

Elle réfléchit un moment, puis :

– Allez chercher vos affaires mouillées, je vais les mettre dans le sèche-linge. Nous allons vous conduire à un hôtel qui n'est pas loin en voiture, à une quinzaine de kilomètres.

Je repars chercher mes frusques, attache Canard pour la nuit et, le bidon dans une main, un sac lourd de linge trempé dans l'autre, je reviens chez les Clavier. Nous enfournons le tout dans la machine et nous voilà partis pour un hôtel très confortable où je fais un bon repas avant de me glisser dans un lit aux draps bien tirés et bien secs. Je suis si épuisé par les événements que je ne perds pas de temps à geindre sur les difficultés de la navigation solitaire en Loire, et m'endors comme une masse. Au matin, à 8 h 30 comme prévu, mon sauveur de la veille est devant l'hôtel. Il a apporté mon sac rempli de linge sec et me dépose au pont de Veauche avant de rejoindre ses invités.

Alors qu'il va démarrer, je suis soudain saisi de terreur en constatant que j'ai perdu mon petit carnet de notes. Avec ma mémoire débile, je n'ai plus qu'à retourner au mont Gerbier-de-Jonc si je ne le retrouve pas. Je vide le bidon, le sac. Rien. C'est mon chauffeur qui l'aperçoit sur le plancher de la voiture. Il avait glissé de ma poche. Il m'avoue qu'hier soir sa femme et lui ne croyaient qu'à moitié à mon histoire. Mais j'avais donné mon nom et précisé que j'étais écrivain. Ils sont allés faire un tour sur Internet et cela les a rassurés. Voyant ma photo, le fiston s'est même souvenu m'avoir vu à la télévision. Merci les Clavier et jouissez du bonheur de la visite de votre fils.

Et, alors, ne venez pas me dire que l'hospitalité est un vain mot en France !

Je repars sous le pont, retourne Canard et le charge sous l'œil d'un pêcheur qui, arrivé avant moi, assis sur une chaise en plastique, surveille deux ou trois bouchons.

– Tout seul ? dit-il lorsqu'en réponse à sa question je lui explique mon programme. Et vous n'avez pas peur ?

La peur ? Parlons-en de la peur. Qui n'a pas peur aujourd'hui ? Avec l'envie, c'est le sentiment le mieux partagé dans notre société pourtant protégée de toute part. Les mères ont peur pour leurs enfants, les pères pour leurs femmes qui, elles-mêmes, craignent qu'il n'« arrive quelque chose » à leurs époux. Les médias vendent de la peur comme les épiciers des pots de yaourt, il faut bien faire marcher les affaires. Et la peur rapporte gros. Demandez aux compagnies d'assurance dont c'est le fonds de commerce. Dans la fourmilière humaine, sur une terre de plus en plus citadine et sécurisée, la peur ne se conjugue qu'au singulier. On veut bien partir à l'aventure, faire semblant de se faire peur, mais à plusieurs. On ne sait jamais… Et ce ne sont pas seulement les tranquilles pêcheurs à la ligne qui s'inquiètent de ma solitude. Pour cette équipée minuscule, on s'inquiète, même si l'envie est là : « … tout seul ? j'aimerais le faire… mais avec quelqu'un… » D'accord pour l'aventure mais sans risque, l'entreprise mais bien assurée, le défi sans danger, le jeu sans hasard…

Ce n'est pas moi mais Canard qui a dû avoir peur. Quant à la solitude, elle me va bien.

Je suis maintenant beaucoup plus à l'aise sur le fleuve. Mes bras se musclent et mes coups de pagaie sont de plus en plus vigoureux. Je ne pense même pas au petit mouvement de poignet en col-de-cygne tant il est devenu un automatisme. Le bateau semble se diriger au gré de ma volonté sans que cela nécessite une grosse concentration. Je suis disponible pour examiner les berges, assister, ravi, au décollage d'escadrilles de canards qui reviennent vers moi après avoir effectué un grand arc de cercle, sans doute pour contempler de haut l'importun qui les a dérangés.

J'aime observer leur vol. Ils se prennent pour les avions de chasse de la patrouille de France. L'impression est encore accentuée par cette façon de coller leurs pattes jaunes sur l'arrière-train qui fait penser à des tuyères de réacteur. L'impeccable «V» qu'ils dessinent vient-il de l'ordre émis par un canard-caporal de service ou de la méthode des cyclistes qui se protègent du vent en faisant «la bordure»? De temps à autre, la tête d'un cormoran en chasse émerge brusquement à quelques mètres de l'étrave. Se laissant porter par le courant, il replonge et réapparaît plus loin. Il progresse plus vite que moi. Les orages ont dû gonfler le cours du fleuve et il devient rare que Canard gratouille du ventre sur les pierres. Il est vrai aussi que j'ai attrapé le coup d'œil et sais maintenant mieux «lire» la Loire, repérer les zones plus profondes où passer sans trop de difficultés, quitte à osciller continuellement d'une rive à l'autre pour suivre les caprices du courant. Je suis soucieux d'éviter d'autres chocs à mon bateau dont j'ai pu mesurer hier soir combien il a souffert des conditions de navigation. D'autant que, contrairement aux miennes, ses blessures ne cicatriseront pas.

***

À Montrond-les-Bains, une station thermale qui soigne les problèmes digestifs, je m'offre un festin dans le seul restaurant ouvert. Comme je la félicite sur la qualité du repas, léger, savoureux et présenté avec goût, la patronne me dit avec une fierté méritée que son fils est le cuisinier. Ses clients pourront se dispenser de cure.

Parvenu à Feurs, je sors Canard de la Loire et j'appelle Yves et Marcel, les pique-niqueurs qui m'avaient invité à l'improviste au détour d'une route de Haute-Loire. En quelques minutes ils sont là avec leurs femmes, ravis de l'aventure. Ils ont l'enthousiasme de ces retraités assoiffés de rêves de jeunesse trop souvent refoulés, de nouveauté et d'imprévu, qui se débarrassent des chaînes du travail obligatoire et aspirent goulûment l'air du large. Canard est chargé sur une jeep et en route pour la maison d'Yves et de Jocelyne. Elle est conçue, organisée, comme si dès la première pierre elle avait été créée pour le loisir et la retraite. Finis les marchés au petit matin, où l'un vendait du fromage, l'autre de la charcuterie. Terminées les installations dans la nuit froide, les frimas et la pluie d'automne. Dans un coin du jardin, un terrain a été aménagé pour le jeu de boules, un autre pour les repas en plein air, la piscine est recouverte d'une grande enveloppe de Plexiglas transparente, des vélos sont prêts au départ... Tout ici respire le bien-être, avec un petit parfum bourgeois. Toute leur vie, ils ont vendu, aujourd'hui, ils veulent consommer à pleines dents, jouir, enfin jouir. Leur bonheur d'y être parvenus est un spectacle que je déguste à petites cuillerées. Ils n'ont pas encore décidé de se lancer dans le vaste monde et se risquent dans ce loisir perpétuel que leur offre la retraite en y mettant d'abord un pied, pour voir, avec prudence. Leur retraite n'est pas encore une nouvelle existence, elle est trop fraîche. C'est un week-end sans fin : l'apéro, la pétanque, la piscine, les bains de soleil et, pour le dépaysement, le pique-nique en bord de route, près de la voiture. Avec une certaine prudence, ils découvrent le nouveau en s'appuyant sur l'ancien.

Nous disputons une partie de boules serrée, puis, après l'apéro, c'est le dîner. Ces lève-tôt qui sont en train de virer couche-tard poursuivraient bien la discussion, mais, après une journée de pagaie, mes yeux clignotent. La fraîcheur est tombée sur le jardin. La nuit précédente, le thermomètre a chuté, affichant 4 degrés. Il va sans doute récidiver. C'est octobre en août. Ce mois d'été doit être le plus froid que l'on ait connu depuis l'ère glaciaire. Je dors comme un bébé et, le petit déjeuner pris, Yves m'aide à remettre Canard à l'eau, un peu après le barrage de Feurs. L'affaire ne va pas de soi. Il n'y a aucune zone aménagée, et c'est en équilibre instable sur de gros cailloux au bord du fleuve que nous glissons le canoë du haut de la rive dans la Loire. Je quitte ces hôtes parfaits à regret. Charcuterie, fromage ou hospitalité, tout doit être impeccable pour ces artisans élevés à l'école de la rigueur.

Je tente sans succès d'entrer en contact avec un couple de Rozier-en-Donzy, près de Feurs, qui m'a invité. Ils ne répondent pas, sans doute en vacances en ce mois d'août et, je l'espère pour eux, au soleil. Je passe...

La Loire après Feurs est très navigable. Dans les rapides, le flux est assez généreux et les rochers plutôt rares. Il est près de midi lorsque j'arrive à Balbigny. Mais un dimanche, excepté le PMU où les parieurs boivent déjà le gros lot qu'ils gagneront évidemment un jour, tout est fermé. La patronne refuse de me faire le moindre sandwich et se défausse sur le voisin :

– Au château de la Roche, il y a un excellent restaurant, c'est à vingt minutes d'ici.

Je me méfie de ce genre d'affirmation.

– En voiture, sans doute, mais en canoë ?

– En canoë, en canoë... Je fais du canoë moi-même, je vous assure.

La menteuse. Que ne ferait-elle pas pour éviter de donner à manger à un passant alors qu'elle ne rechigne pas à servir à boire. Je mettrai cinq heures avant d'apercevoir la silhouette du petit château d'opérette posé sur le fleuve.

J'ai pu mesurer la relativité des renseignements donnés par
les pêcheurs hélés au passage.

– À quelle distance, le château de la Roche?

– 2 kilomètres.

– 15 kilomètres.

– 30 kilomètres.

– 6 kilomètres…

Lancés comme des certitudes.

Sur le fleuve, aucun point de repère n'est possible. La
faim au ventre, je pagaie d'autant plus difficilement que
la Loire ne participe plus à ma progression. Je suis entré
dans le réservoir du barrage de Villerest. Il me faudra parcourir plus de 25 kilomètres sur une eau stagnante avant
de retrouver les eaux vives, après l'ouvrage.

Le château de la Roche, le plus petit sans doute de tous
ceux qui bordent la Loire, ressemble à un décor de conte
pour enfants. Il a l'air de flotter sur les eaux. Avant la
construction du barrage, posé au bord de la saignée millénaire creusée par le fleuve, il dominait la Loire d'une
quarantaine de mètres. Le flot l'a rattrapé, lui faisant
perdre une partie de sa superbe mais pas de son charme.
Et la montée des eaux ne l'a heureusement pas submergé.
Abandonné par ses propriétaires, il a été racheté par les
pouvoirs publics, réhabilité, bichonné. On y donne pour
les touristes des représentations en costume, de petites
scènes illustrant la vie quotidienne au Moyen Âge. J'échoue
Canard à 300 mètres, profitant d'un plan incliné destiné
aux pêcheurs en canot.

Franck y mouille ses lignes. Depuis l'aurore, des vifs
gigotent au bout de ses fils de Nylon, mais pas un seul
gros poisson, carpe ou brochet, n'a fait même semblant de
s'y intéresser. Cinq minutes de conversation avec lui me
guérissent des fatigues de la journée. Ce titi stéphanois,

un anneau à l'oreille, cheveux ras, se montre bavard et joyeux comme un gamin, malgré ses 35 ans. Il est tourneur sur métaux et fabrique des pièces à l'unité. Un travail d'artiste qu'il réalise sur un tour qui n'a jamais connu l'électronique. La précision micrométrique, c'est son œil et son pied à coulisse.

Franck est un intégriste de la pêche à la ligne. Son rêve, attraper un silure, un de ces monstres qui peuvent peser plusieurs dizaines de kilos. On en trouve dans cet immense bassin de rétention du barrage. Ce ne sera pas aujourd'hui. Comme pour le loto, le rêve nourrit le rêve, même si Franck a plus de chances de prendre un silure que de gagner le gros lot. Je le soupçonne, d'ailleurs, de s'en battre l'œil tant qu'il peut mouiller ses lignes. Son paradoxe, c'est son amour de la solitude du pêcheur de fond qu'il tente de concilier avec sa passion de la conversation. Par son bavardage, il vous appâte, vous ferre, vous attire dans son filet sans s'arrêter de parler, de ci, de ça, toujours dans un langage fleuri avec un humour provocateur et sans jamais lâcher ses bouchons de l'œil. J'adore ce genre de personnage et suis tout à l'écoute lorsque son copain Fred, cuisinier dans une colonie de vacances, arrive en quad. Ils se complètent, l'un parle, l'autre écoute. Fred a apporté son «lancer» et jette un Rapala qui s'accroche au fond. Tirant trop fort pour le récupérer, il casse sa canne à pêche et perd l'hameçon. Peu importe. Ils sont des pêcheurs à casquette et à canette. Tout est bon pour vider sa tête et quelques bières tenues au frais dans une glacière à l'arrière de la voiture.

Franck a un problème : sa copine n'aime pas la pêche et n'apprécie pas de le voir partir au petit matin avec ses lignes. Elle, c'est la peinture. Elle peint des toiles et il est tout étonné que des gens lui en achètent. «Alors là, ça me troue le c…» commente-t-il sobrement. Lorsque la lumière décline, ce philosophe du bouchon plie ses gaules et s'en va non sans m'avoir dit : «D'accord, je n'ai rien pris, mais c'est une bonne journée car je vous ai rencontré.» Fred, qui a vainement tenté de convaincre sa patronne de m'héberger, remonte sur son engin. La nuit s'avance.

J'attache Canard aux racines d'un chêne, monte ma tente dans un minuscule espace sous les arbres et grimpe vers le restaurant que l'on m'avait fait miroiter à midi. C'est une immense salle en terrasse qui domine la Loire et le château d'une vingtaine de mètres. Elle est bondée de familles à enfants et à chiens venues déguster la spécialité du lieu, les cuisses de grenouille. Fred m'a prévenu : elles ont l'accent polonais. La grenouille, elle aussi, s'est mondialisée. Autrefois, les bestioles étaient capturées dans les nombreux lacs de la région, mais leurs prix ne sont plus du tout concurrentiels avec celles qui arrivent congelées, par semi-remorques. La consommation ici, m'a dit Fred, est impressionnante. L'autre spécialité, c'est la friture de petits poissons. Mais laquelle ? Tous les pêcheurs me répètent que ça ne mord pas. Il y a donc de fortes chances pour qu'ils aient la même provenance. J'ai donc le choix entre cuisses de grenouille congelées ou friture congelée. Je choisis les premières.

Vers 23 heures, le ventre plein de batraciens, je me glisse dans mon léger sac de couchage et, faute de couverture de survie (oubliée comme le reste par manque de préparation), je m'enveloppe dans mon poncho de pluie et passe une bonne nuit de repos. Ce ne sont pourtant pas les bruits qui manquent, bruits bizarres, parfois difficiles à interpréter. Sous ma toile, je perçois des trottinements, des frôlements, le hululement des chouettes, le «flop» des poissons en chasse et, au milieu de la nuit, des miaulements et des rugissements de matous se disputant les beaux yeux d'une siamoise ou un sandwich abandonné dans la poubelle voisine, pleine à ras bord. Au petit jour, un pêcheur matinal – attention, pléonasme, un pêcheur qui ferait la grasse matinée, ça n'existe pas – me réveille. La vision du château se reflétant sur la surface lisse comme une peau, d'une immobilité totale, est magique. L'eau du fleuve, plus chaude que l'air frisquet ambiant, s'élève doucement en volutes qui enveloppent arbres et murs d'un léger brouillard mélancolique. Le minuscule castel, démultiplié par le miroir liquide, à moitié mangé de brume, semble tout droit sorti d'un conte de fées. Photographe amateur, je ne peux m'empêcher de prendre un cliché que je me promets de faire agrandir un jour ou l'autre[1].

★★★

Ce matin, je vais devoir pagayer le ventre vide car le restaurant est fermé. J'espère arriver au barrage de Villerest en début d'après-midi. Mais le dieu des galériens met sur ma route un petit restaurant (spécialité : cuisses de grenouille) qui domine le minuscule port de Boly dans lequel une quinzaine de canots à moteur et quelques voiliers pontés se dandinent au gré du clapot. L'hôtesse, en pleine préparation du repas de midi – il n'est que 10 h 30 –, ravissante dans un pantalon blanc moulé qui ne cache rien de sa plastique, me sert un savoureux petit déjeuner, dont le clou est une confiture de myrtilles confectionnée par sa mère.

Le vent a viré au sud et me pousse délicieusement vers le

1. Couverture de cet ouvrage.

barrage de Villerest. C'est la seule fois qu'il sera mon allié. L'immense réservoir du lac est encombré d'une mousse verte et odorante. Les paysans pompent allègrement l'eau de la Loire qui, ayant lessivé des terres sursaturées d'engrais, retourne au fleuve, provoquant la prolifération d'algues envahissantes, avec le risque, à terme, de détruire toute vie dans le bief du barrage. Ce phénomène, appelé «eutrophisation», me donne l'impression de glisser non pas sur l'eau mais sur une vaste pelouse à travers laquelle Canard, tel un brise-glace, se fraie un chemin vite refermé. J'arrive au barrage après six heures de navigation. Sans le vent favorable, il m'aurait fallu au moins deux heures de plus. Je me réjouis d'être sorti de ces gigantesques réservoirs statiques où l'eau morte ne revit que grâce à quelques sauts de carpe, ou à un canot à moteur qui fait longtemps clapoter l'eau sur les rives et m'oblige à manœuvrer pour prendre la vague de face, au risque de chavirer si le conducteur, ivre de vitesse et oublieux de la politesse – ils sont légion –, n'a pas ralenti à mon approche. Je déjeune, faute de restaurant, d'une pizza achetée dans le fast-food situé près du barrage. À croire qu'en vacances plus les gens ont de loisirs, plus ils souhaitent manger vite.

Je suis pressé de fuir la foule qui s'agite ici. Il me reste à franchir le barrage. Je perche Canard sur ses roues et traverse la vallée sur la route juchée au sommet de l'ouvrage bétonné. En contrebas, une vanne à demi ouverte crache une langue d'eau qui s'écrase en une rugissante mousse blanche. Près des bâtiments techniques, j'aperçois un chemin qui descend vers le fleuve et sera parfait pour me remettre à l'eau. L'accès est fermé par une grille cadenassée. Je parlemente une demi-heure par l'intermédiaire d'un interphone avec le gardien invisible et inflexible, caché dans un bureau. Ce dialogue entre deux voix anonymes a un petit parfum kafkaïen qui évoque *Le Château.* Il n'est pas question de m'ouvrir. Les lâchers d'eau, dit la voix du château, sont commandés d'un autre endroit et donc totalement imprévisibles. À tout moment, une avalanche, une montagne d'eau peuvent surgir du monstre de béton et m'écraser. Il y a danger de mort.

Et me voilà qui retraverse le barrage, tirant Canard en rasant les rambardes de peur qu'il soit accroché au passage par une voiture. De l'autre côté, j'emprunte la route de Roanne, le long du fleuve sur la rive gauche. Trajet malcommode. Je tire le bateau sans voir les véhicules qui déboulent de la pente dans mon dos. Après 5 kilomètres de plancher des vaches, près du pont de Vernay, Canard et moi retrouvons enfin l'onde vivante et transparente qui glisse sur les mousses. Les algues ont disparu. Je me repais du lent défilé des berges, du chant de l'eau sur les cailloux, de l'envol des canards. À mon approche, ils s'enfuient à grand bruit par petits groupes pour aller se poser plus loin. Peu à peu, ils se rassemblent et sont près d'une centaine quand l'un d'eux, malin capitaine d'escadrille, fait accomplir un grand cercle à toute la bande qui regagne ses quartiers sur les rives en amont.

III

LES COTEAUX-DU-GIENNOIS

Je passe sous le premier pont de Roanne quand un curieux bonhomme me rattrape sur un kayak long et fin comme une lame. Barbe courte, casquette de golf, Alain s'en vient faire un tour au port du canal latéral à la Loire. C'est en effet ici que commence cette voie navigable. Il me propose d'aller boire un canon et de bavarder. J'accepte d'autant plus volontiers que je cherche un hôtel proche du fleuve. En tant que Roannais et navigant, il doit en connaître. Dans le port, quelques péniches sont à l'anneau. Nous devisons avec un couple d'Australiens. Ils viennent chaque année en France, louent une péniche et visitent notre pays au rythme paresseux des plaisanciers d'eau douce. Alain m'explique qu'il occupe sa retraite toute neuve en présidant un club de badminton et en croisant avec son bateau sur le fleuve. C'est un kayak de mer avec lequel il prépare une expédition en Corse. Il rêve de faire le même périple que moi, «mais pas seul». Un refrain que j'ai entendu mille fois et ne peux faire mien. Les rêves ne se partagent pas.

Quand je demande à mon nouvel ami où trouver un

hôtel dans les environs, il répond : « Chez moi. » Une heure plus tard, Canard est installé dans son jardin où nous préparons un dîner sur les braises. Pendant le repas, Alain m'avoue qu'il aborde un virage dangereux pour tous les retraités. Ses trois enfants, deux filles et un garçon, ont quitté le nid. C'en est fini des projets collectifs et familiaux. Il est pourtant nécessaire de rester actif, citoyen, convivial. Un numéro de trapèze qui demande de renoncer à ses habitudes et aux certitudes passées pour, lancé dans le vide, rattraper la vie au risque d'une chute, dévastatrice à cet âge. La soirée est agréable, la douceur prévaut et tant pis si la météo annonce le déluge pour demain. Vidé par huit heures sur l'eau et 5 kilomètres à tracter Canard, je tombe de sommeil et coule comme un noyé dans le lit chaud.

Au matin, sous un ciel plombé, Alain nous ramène, Canard et moi, un peu au-dessous du barrage de Roanne. J'ai, bien entendu, décidé de rester sur la Loire et de ne pas emprunter le canal latéral. Je suis ici pour me perdre sur le fleuve indompté et non pour suivre des eaux tranquilles et domestiquées. La météo ne s'est pas trompée. Très vite, une pluie glaciale martèle la surface. Une rafale de grêle pilonne le fond du canoë et le sommet de mon crâne dégarni. Je m'emmitoufle dans mon poncho que j'ai, par précaution, recouvert du gilet de sauvetage. Mes pieds commencent à faire une allergie au caoutchouc de mes chaussures et mes orteils gauches, hier rouges et légèrement blessés, sont douloureux. Si je n'y prends garde, je risque une infection. Je les remplace par mes bonnes vieilles sandales qui me permettront de marcher dans l'eau comme sur terre même si elles vont en souffrir.

À 13 heures, je mets pied à terre à Pouilly-sous-Charlieu où mon accoutrement ne laisse personne indifférent. Je m'approche d'une dame pour lui demander l'adresse d'un restaurant. Comme cette femme n'ose pas me dire : «Vous me faites peur», son regard s'affole, elle part en courant et crie : «J'ai pas le temps, j'ai pas le temps...» Une fois hors de portée de l'épouvantail que je suis, elle reprend un rythme de marche plus zen. Je trouve un bistrot ouvert. On me sert un sandwich que je pousse avec un verre de gouleyant coteaux-du-giennois.

Après l'arrêt casse-croûte, les grains succèdent aux grains, de grosses gouttes glacées crépitent sur l'eau. Le ciel s'abat sur la Loire qui, à l'approche d'Iguerande, serpente paresseusement entre des rives friables. Chaque crue avale des bouts de prairie qu'elle dépose dans la courbe suivante sous forme de galets, de sable et de vase. D'énormes bœufs, aussi ruisselants que moi, semblent plantés jusqu'à mi-patte dans la boue, écrasés, raccourcis par l'ondée. Aline et Serge Muret m'ont invité. Ils habitent près d'une station de pompage, m'a dit Aline au téléphone. Dans les rideaux de pluie, sur le fleuve cerné par de hautes rives, il n'est pas facile de se repérer. De temps à autre, debout dans le bateau, je scrute les berges pour voir ce truc dont je ne sais à quoi il ressemble. À deux reprises, j'aborde et scanne les environs. Finalement, j'aperçois une construction de béton au milieu d'un champ où paissent des vaches aussi innombrables qu'indifférentes. Sans doute la station. Je tire Canard sur le pré, abrite les deux sacs sous le canoë retourné en priant le ciel qu'un des bovins qui stationnent à proximité ne vienne pas s'asseoir dessus. J'emprunte un chemin de terre vers le lieu-dit Les Coindrys où habitent mes futurs amis.

Je suis frigorifié, trempé et grelottant. Aline, une jolie et svelte jeune femme aux longs cheveux, me reçoit. Une légère frange cache mal son front haut, soulignant un regard vif, et elle rit volontiers en plissant les paupières.

Serge, son mari, est parti avec un de ses fils pour une randonnée. Une douche chaude et un thé brûlant plus tard, nous sommes attablés dans la grande salle familiale et je déguste, beurrée sur des toasts, l'escargotine, un mets délicieux fabriqué par une de ses amies. Plus tard, au dîner, nous nous régalons d'un vin rouge « des fossiles » que produit leur ami Jean-Claude Bertillot, un viticulteur de Mailly. Ses vignes sont plantées sur un terrain saturé d'ammonites, ce qui lui a donné l'idée de baptiser ainsi sa production. À plusieurs reprises, dans le département de la Saône-et-Loire où je viens de pénétrer, je retrouverai cette appellation à la carte des restaurants. Ici, on produit des vins dits de la côte roannaise. C'est le premier vignoble que je rencontre. Ce n'est pas le dernier, et je me suis juré de goûter tous les jus de ces vignes qui vont se succéder jusqu'au gros-plant nantais.

Le viticulteur ne peut me recevoir, occupé à d'autres tâches. Nous visitons la demeure d'Aline et la superbe roulotte qu'elle loue à des touristes. Cinq personnes y tiennent à l'aise. La maîtresse de maison, très au fait des cultures écologiques, les nourrit à base de produits bio. Je suis époustouflé par la vitalité de cette femme qu'aucune tâche ne rebute. Comptable en agriculture de formation, elle a largement manié la truelle, la perceuse et la scie pour retaper magnifiquement et respectueusement, avec l'aide de son prof de mari, cette ferme qui date de 1554. Ici, côté cuisine, on fait également tout soi-même : jus de cassis, de framboise, de groseille, on tue le cochon, on élève des abeilles, il y a des chevaux dans le pré, un chien dans la cour et un chat dans la grange. Les tomates mûrissent – tardivement pour la saison –, les fleurs éclatent dans le jardin, des oies et des poules prospectent l'asticot alentour. Le couple ne néglige pas pour autant l'éducation des enfants. Julien, l'aîné, a une moyenne de 19 en maths et son frère marche sur ses traces. De la graine d'ingénieurs. Des «élèves bonbons», comme dit Daniel Pennac dont j'ai relu le *Chagrin d'école* avant de partir vers le Gerbier. Aline qui s'intéresse aux oiseaux – elle me signale des cigognes sédentaires dans le bois voisin – s'occupe à titre gracieux de la bibliothèque municipale d'Iguerande avec quinze femmes bénévoles et… un homme. Elle coordonne toutes sortes d'animations pour amener à la lecture 30 % de la population. Un projet ambitieux. Enfin, elle orga- nise des randonnées, en coopération avec une voisine. Je l'accompagne pour accueillir un jeune couple et ses deux enfants qui vont bivouaquer dans un de ses champs. Deux ânes transportent la tente et le matériel de cuisine. Toute la petite troupe supporte le froid et le mauvais temps avec bonne humeur.

Il règne chez les Muret une atmosphère réconfortante de sagesse paysanne, bien éloignée du désordre des grandes villes. Ils ne roulent certes pas sur l'or, mais il se dégage de leur maison et de toute leur personne une harmonie qui déteint sur le visiteur. Après une bonne nuit et un solide petit déjeuner, la jeune femme me raccompagne jusqu'à la Loire. La pluie a cessé. Nous passons près de l'ancienne ligne de chemin de fer qui va être transformée en «voie verte». Aline compte sur elle pour lui amener des touristes qui, actuellement, trouvent à 99,99 % son adresse grâce à Internet[1].

1. info@roulottes-brionnais.com

***

Aucune des vaches n'a joué au football avec Canard. Seules deux ou trois limaces, sans doute soucieuses de se mettre à l'abri et attirées par mes réserves, ont tenté de pénétrer dans le sac de nourriture. La loi du nomade est dure mais c'est la loi : à chaque jour son étape. Bien à regret, je quitte Aline. C'est mon septième jour de navigation et le quatorzième de mon voyage. Il m'en reste vingt-cinq pour parvenir jusqu'à Nantes. Terminerai-je le périple à la mi-septembre ou me faudra-t-il le faire en deux fois ? Impossible de répondre tant je suis incapable de déterminer quelle sera ma vitesse de croisière, faute de connaître le parcours qui m'attend en aval. Et puis, j'ignore combien de personnes je rencontrerai et, en définitive, c'est pour moi la priorité.

Cette partie du fleuve s'avère aimable et douce. Mon principal problème, compte tenu de l'étiage, est de repérer les courants et d'éviter les hauts-fonds de sable qui m'obligent, lorsque Canard se retrouve le ventre à sable, à débarquer et à le haler jusqu'à ce que le tirant d'eau permette la navigation. J'ai quitté Aline depuis une heure lorsque cinq oies sauvages dressent le col à mon approche. Elles tentent, en nageant, de se maintenir à distance, mais je les rattrape insensiblement. Elles hésitent à s'envoler, puis décollent avec un ensemble parfait, comme si elles avaient reçu un ordre, comme si elles étaient programmées par un cerveau unique. Spectacle sublime. D'abord les battements de leurs ailes immenses qui frappent la surface avec une telle force qu'un léger brouillard les enveloppe. Afin d'aider à l'envol, elles patinent sur l'eau. Je suis à une soixantaine de mètres mais j'entends le souffle provoqué par leurs ailes, un chuintement puissant, feuuuh, feuuuh, feuuuh... Soudain, elles démarrent et filent vers l'aval en prenant de l'altitude avant de décrire un grand cercle pour revenir à l'endroit où je les ai dérangées. Quand elles repassent au-dessus de moi, dans le silence du fleuve, j'entends distinctement le même bruissement : feuuuh, feuuuh, feuuuh.

Le spectacle a presque calmé ma faim, mais elle revient vite. J'ai ordinairement un petit appétit, mais depuis deux ou trois jours, je dévore et j'ai en permanence une sensation de faim. Bonne maladie. La thérapie de l'effort fonctionne. Mes épaules sont moins douloureuses. Je sens mes muscles gonfler chaque jour. Mon organisme a compris le message : «Tu en as besoin, on va t'arranger ça.» À Bonnand, un canoéiste m'a indiqué un restaurant. Grenouilles, friture ou escargots. Pour changer, je choisis les escargots. Un Anglais qui ferait ce parcours n'aurait d'autre choix que de s'adapter à notre cuisine ou de mourir de faim. En remontant dans le canoë, je remise mon gilet de sauvetage à l'arrière du bateau, décidé à ne plus m'en servir. Il m'a certes été bien utile les deux premiers jours, lorsque je passais une partie de mes journées à nager. Si l'eau était froide, je le conserverais pour ne pas risquer une hydrocution. Mais elle est incroyablement douce, presque chaude, comparée à l'air glacial de ce mois d'août pourri.

Je me sens plus en confiance qu'en début de semaine. Désormais, je maîtrise sans problème la pagaie. J'ai aiguisé mon regard sur les courants et compris qu'il vaut mieux faire un détour pour me laisser porter par une eau profonde que de filer tout droit au risque de m'échouer. Dans les rapides, j'ai acquis une maîtrise du bateau qui me fait traverser les obstacles en douceur.

L'arrivée à Digoin est somptueuse. La Loire coule sous le pont-canal et, à ce moment précis, un bateau l'emprunte. Vision surréaliste : je suis sur le fleuve et j'arrive sous un ouvrage au sommet duquel glisse un énorme bateau à moteur. Juché sur la cabine, un gros chien noir aboie en direction des promeneurs venus voir naviguer les péniches, massés sur les trottoirs de chaque côté de l'eau. Sous le pont de pierre, je découvre que de grosses dalles tapissent le fond entre chaque arche. Le niveau de la Loire est si bas que je marche sur ces fondations de granit pour permettre à Canard de franchir l'obstacle. La petite chute qui suit est périlleuse car de grosses pierres risquent de me jeter bas. Je préfère retenir le canoë avec la corde, puis remonter à bord lorsque le flux s'est calmé. Là-haut, sur le pont-canal, les curieux penchés sur la rambarde ont suivi l'opération délicate. Ils applaudissent l'artiste. Je salue et tout le monde rit.

À quelques centaines de mètres en aval, je trouve une chambre à l'*Hôtel des diligences*. On y loge à pied et en bateau, me dit le patron qui me voit arriver avec mes sacs de navigation. Il juge plus prudent d'aller rechercher le canoë laissé au bord de l'eau. Canard est amené sur ses roues et installé comme un prince dans un box destiné aux voitures. Il passera la nuit au sec.

Je peux enfin échapper aux gastéropodes et autres batraciens pour attaquer une somptueuse choucroute. Est-ce d'avoir trop chargé mon estomac, désormais habitué aux délicates cuisses de grenouille ? Je dors plutôt mal. Au matin, un coup d'œil dans la glace de la salle de bains me fige de stupeur. Depuis une semaine, je n'ai pas eu l'occasion de voir mon visage. Je n'ai rien perdu. Mes lèvres sont boursouflées par plusieurs herpès provoqués par la fatigue et une exposition prolongée au soleil, pourtant rare ; j'ai les traits durs, gonflés ; les épaules me tirent. Neuf heures de navigation hier, cela fait combien de coups de pagaie ? En prenant le petit déjeuner, je réfléchis et, pour une fois, j'essaie de m'écouter. Habituellement en voyage, la difficulté pour moi n'est pas d'aller, mais de m'arrêter. Je suis aspiré par le but. Qu'importent la fatigue ou les obstacles, il faut que j'aille, encore et encore. Même si rien ne presse. Je suis certes attendu dans beaucoup d'endroits, mais j'ai pris la précaution de prévenir : aucune date n'est fixée, je téléphonerai la veille de mon arrivée. Je décide donc, après mûre réflexion, de m'accorder une journée de repos.

Le ventre plein, je me remets au lit à 8 heures et me réveille à 11 heures. Promenade, déjeuner de pâtes (pour les sucres lents), sieste. Je vais me faire raser la tête et suis surpris par le nombre de coiffeurs : au moins cinq dans ce gros bourg, si j'ai bien compté. Au bord du canal, sous les larges frondaisons de saules pleureurs, des enfants font un concours de pêche. Ça sent les vacances. Le soleil, pour quelques heures, s'invite à la fête. Une sorte de patache remplie de touristes, un «promène-couillons» comme on dit à Marseille, franchit le pont sous l'œil clignotant des photographes amateurs.

Rêveur, je tente de faire le point. Cette aventure ligérienne, cette rupture avec mes habitudes, salutaire, m'amène à réfléchir. Après tout, je suis à un tournant de ma vie. Sans doute est-ce ma dernière grande expédition. Je me dis ironiquement que la prochaine décennie, ce sera plutôt la promenade au supermarché en déambulateur. Pour l'instant, tout ne va pas si mal, mais ensuite ? À quoi vais-je consacrer mes jours ? Après dix ans d'existence, l'association doit pouvoir se passer de moi. Je n'ai jamais été aussi fidèle à un projet. Durant ma vie professionnelle, mon record de longévité dans un journal a été de trois ans. Un vrai papillon. Le changement, toujours le changement. À Seuil, il serait temps que je passe la main, qu'un sang neuf vienne stimuler ce projet magnifique, animé par des bénévoles admirables qui vont être désormais épaulés par des professionnels. Le nombre de jeunes délinquants en difficulté augmente. Il faut davantage de personnes pour leur tendre la main. Chacun sait que leurs violences sont autant d'appels au secours et que la répression, qui s'accroît régulièrement quel que soit le gouvernement, ne fait qu'alimenter le désespoir des banlieues.

Le temps est peut-être venu de ressortir quelques projets de mon grand sac à malices. Évidemment, il n'est pas question que je me cale dans mon fauteuil à bascule devant la télé entre mon chat et ma chienne. Plusieurs fois, au cours du voyage, je me suis morigéné : «Mais qu'est-ce que tu fais là, vieil homme ? Quelle idée de te lancer dans pareille aventure ? Compostelle, la route de la Soie, Seuil… tu as encore quelque chose à prouver ?» Bonnes questions que j'oublie sur mon esquif en luttant contre les intempéries. Mais elles méritent d'être posées, même si je n'en ai pas toutes les clés. Cette aventure, parfois difficile, n'est-ce pas ma manière à moi de me battre contre la mort qui vient, y compris en l'affrontant ? Il est vrai que j'ai eu peur dans les cascades de Retournac et de Bas-en-Basset. Peur de quoi ? De mourir ? Peut-être pas. Peur de vieillir plutôt. Souci de repousser les limites de la décrépitude.

***

Dans l'après-midi, je visite un musée, l'ObservaLoire, remarquablement organisé autour de mon sujet d'intérêt. On imagine mal aujourd'hui à quel point ce fleuve a été vivant. Digoin comptait huit voituriers d'eau (patrons de leur bateau), trente mariniers, six charpentiers de marine, deux cloutiers et soixante «manouvriers». Si j'ai bien compris, ce terme oublié désignait à la fois les manœuvres, qui s'occupaient de tâches diverses comme le chargement et le déchargement des gabarres, mais aussi la manœuvre du bateau : hisser les voiles, le guider avec les perches… On trouvait aussi un grand nombre de tonneliers. Les gabarres à fond plat, équipées d'un curieux gouvernail, la «piautre», très longue, presque au ras de l'eau pour ne pas se briser sur les hauts-fonds, partaient avec 34 tonnes en amont de Digoin, et de 39 à 49 tonnes de l'aval, transportant vin, bois, seigle, sel. Il n'y avait pas un seul entrepôt sur les quais, ils auraient été jetés à bas par les crues. Chaque année, mille cinq cents à mille huit cents bateaux venant de Roanne ou de Pouilly transitaient par Digoin.

Quand les gabarres voyageaient, c'était en «famille». En tête, la «mère» suivie par cinq à dix «petits». Avec des perches, on évitait les rochers et les autres bateaux. Il existait bien un code de navigation et de bonne conduite sur la Loire, mais de temps à autre, pour une question de préséance, les patrons et les équipages s'expliquaient à coups de perche ou de poing. Passaient aussi des «sapines», appelées également «salembardes», construites avec un bois non noble, le sapin. Il fallait dix troncs pour faire une sapine capable de transporter de 25 à 50 tonnes. À l'arrivée, elle était détruite, transformée en bois de charpente ou de chauffage.

Les gabarres descendaient rapidement : dix jours de Digoin à Nantes si les courants étaient bons. La remontée, une fois les bateaux chargés d'épices et de sel, pouvait durer des mois. En été, les voyages s'arrêtaient à cause de l'étiage, les basses eaux. À Digoin, l'étiage est en moyenne de 70 m^3 en été. Au minimum, il tombe à 5 m^3. En crue, il bondit à 5 000 m^3, mille fois plus. Au XIXe siècle, trois inondations ont frappé les esprits : en 1846, 1856 et 1866, la Loire ravage tout sur son passage. En 1907, lors d'une crue, le bac d'Artais est emporté. On le retrouvera 35 kilomètres en aval.

Les marins d'eau douce étaient une corporation respectée. Dès l'âge de 9 ou 10 ans, ils commençaient leur apprentissage. Une fois celui-ci achevé, on leur offrait une boucle d'oreille en or assortie d'une ancre qu'ils arboraient les jours de fête, en particulier le 6 décembre en l'honneur de saint Nicolas, leur patron. Mais, en cette saison, il y avait de l'eau sur la Loire et il fallait naviguer. Aussi les festivités avaient-elles le plus souvent lieu en été. Buvant sec, ils prenaient femme la plupart du temps le long du fleuve, contrairement aux sédentaires qui épousaient des filles du pays.

Après 1850, une première invention, le canal, puis une seconde, le train à vapeur, vont ruiner la marine de Loire. On ne verra plus rouler les barriques à grand bruit sur les quais pavés. Désormais, le train les rapporte de Paris. Une grosse économie car elles coûtent cher à fabriquer. Les nombreux bistrots qui formaient une chaîne jusqu'à Nantes ferment les uns après les autres. La corporation des « voituriers d'eau » et ses légendes ont vécu et les boucles d'oreilles dorment aujourd'hui dans les trésors de famille.

***

Il y a pire temps que celui du 15 août : celui du 22. Au moment où, reposé, je monte dans le canoë sur un plan incliné des quais de Digoin, les premières gouttes dessinent des étoiles à la surface du fleuve. Juste une mise en condition, l'avant-garde du temps de chien qui va suivre. Une averse dense, dure, glaciale succède à une autre, s'accompagnant de rafales de vent qui neutralisent mes coups de pagaie. Je dois forcer pour ne pas reculer et seul le courant me porte un peu dans les rapides. À 13 h 30, glacé et devant à tout prix me réchauffer, je m'arrête dans un village dont je ne verrai le nom inscrit nulle part et je m'en soucie peu. C'est le village de la désolation. Une pluie grasse, crapoteuse, dégouline le long des volets clos de maisons qui semblent abandonnées. Au long de l'unique rue, quelques commerces et un restaurant sont fermés. Un seul café est ouvert avec un pauvre éclairage. À l'entrée, deux vieux achèvent de vider une fillette qui ne doit pas être la première. Dans un coin sombre, quatre ou cinq individus à la mine peu rassurante, aux bras bleuis de tatouages, s'ennuient devant des bières, le nez levé vers la télévision qui hurle. Personne n'a répondu à mon bonjour pourtant claironné afin de couvrir le son du poste. Une fille, elle aussi tatouée et visiblement saoule, erre à travers la salle, incapable de s'arrêter, louvoyant entre la porte et le bar, le regard perdu. Il règne ici une atmosphère de fin de partie qui s'accorde on ne peut mieux avec le climat. Le patron, auquel je demande s'il peut me faire une omelette, n'a pas l'air de comprendre. Manifestement, il n'est pas là pour ça. En insistant, j'obtiens un reste de fromage de chèvre et une tartine de pain de la veille. Je fuis sous l'averse retrouver Canard accroché à un saule.

Vers 17 heures, alors que la fatigue commence à engourdir mes coups de pagaie, je découvre, au détour d'un méandre, un spectacle incroyable. La Loire a littéralement mangé une falaise de terre, haute d'une bonne vingtaine de mètres. En surplomb, une ferme en équilibre semble résignée à faire le grand plongeon à la prochaine crue. Pour l'heure, le fleuve caresse doucement l'à-pic, comme s'il le cajolait pour se faire pardonner sa dernière grosse colère. Je tire Canard sur la berge un peu plus loin et grimpe sur le plateau. Le bâtiment est exploité mais personne ne travaille alentour. Des paysans m'orientent vers la ferme voisine où Jean-Marc Laroche est occupé à tailler une haie avec son tracteur. Michel Plançon, me dit-il, le propriétaire de la maison au bord du précipice, est absent. Jean-Marc m'explique qu'ils sont tous les deux associés et élèvent des bovins. La Loire a ruiné son copain dont la propriété s'étendait sur 100 hectares. En déplaçant son lit de 1, 5 kilomètre, le fleuve a réduit la surface cultivable à 30 hectares. À chaque crue, elle s'approche du bâtiment qui n'a maintenant plus de distance de sécurité. Depuis deux ans, Michel Plançon a entamé une procédure pour être indemnisé, mais la somme proposée ne lui permettrait pas, dit-il, de reconstruire une ferme avec stabulation libre. Alors, il attend une offre acceptable en espérant qu'elle viendra avant que son habitation ne tombe dans le fleuve. Jean-Marc hausse les épaules, manière de dire «On n'y peut rien, la Loire est changeante et toute-puissante».

Je me rends à pied dans la petite ville de Bourbon-Lancy, distante de quelques kilomètres et trouve deux restaurants dont l'un n'affiche pas de cuisses de grenouille au menu. Reconnaissant, je lui offre ma modeste clientèle. Au retour, Jean-Marc me propose de dormir dans une vieille caravane qui pourrit au milieu des orties, derrière les étables. J'en suis ravi mais, à peine installé, je dois déguerpir. J'accepterais bien la compagnie des dizaines d'araignées qui pullulent dans un coffre, mais la cohabitation avec un nid de guêpes énervées par mon intrusion se révèle plus compliquée. Je commence à monter mon bivouac au milieu des engins agricoles abrités sous un hangar, quand Jean-Marc m'indique son garage où je passe une nuit calme. Au matin, je prends congé de mon hôte près de la falaise de terre instable au pied de laquelle la Loire ronronne. La moitié d'une rambarde de fer qui défendait le jardin pend au-dessus du vide. Tiendra-t-elle lors des crues d'automne ou passera-t-elle l'hiver sous l'eau ? Jean-Marc, les yeux rivés sur les anciennes terres agricoles de l'autre rive, recouvertes de galets et parcourues de petits cours secondaires, soupire : «Peut-être qu'elle finira par retrouver son lit.» Pourquoi pas, en effet. Avec cette sauvage, on peut craindre le pire ou espérer le meilleur. Imprévisible, elle n'en fait qu'à sa tête.

À midi, un peu perdu faute du moindre repère, je m'arrête près d'un campement composé de deux caravanes et de deux voitures posées dans l'herbe, sur une légère hauteur, dans la courbe du fleuve. Une demi-douzaine de cannes à pêche sont plantées dans le sable et je dois faire un détour pour ne pas m'emberlificoter dans les fils de Nylon tendus en travers du courant. J'échoue Canard un peu plus loin sur la grève et me rends aux nouvelles. C'est ici, au milieu de nulle part, au lieu-dit Les Pierrecamps, la résidence de vacances du clan Moiselet. Depuis l'âge de 6 ans et durant quarante années, Michel n'a jamais passé ses vacances ailleurs. Dès son premier jour de congé, ce pompier volontaire qui travaille à Bourbon-Lancy traîne ses caravanes sur une dizaine de kilomètres et les installe pour tout un mois de pêche. Trois femmes lui tiennent compagnie dans son royaume estival : sa mère, son épouse et sa fille.

Pendant que nous sirotons un canon, j'évoque le problème de la ferme en équilibre. La femme de Michel le connaît bien. Elle travaille à la mairie de Bourbon-Lancy où elle est plus particulièrement chargée de prévoir les secours à mettre en œuvre en cas de catastrophes dont la majeure partie est relative au fleuve. L'un des dossiers les plus complexes est l'éventualité d'une rupture du barrage de Villerest. Toutes les communes de la vallée ont planché dessus. Les études prévoient que la vague atteindrait Bourbon-Lancy en peu de temps – on parle de sept heures. La ville serait partiellement épargnée par ce tsunami d'eau douce car le flux irait dévaster l'autre rive du fleuve. En revanche, Digoin et plusieurs villages situés sur son parcours seraient rayés de la carte. L'hypothèse, pour peu vraisemblable qu'elle soit, est prise très au sérieux. Ces analyses s'appuient sur un précédent fameux : la rupture du barrage de Malpasset, près de Fréjus. L'ouvrage venait tout juste d'être achevé lorsque, le 2 décembre 1959, la vague tua quatre cent vingt-trois personnes.

À l'approche de Luthenay-Uxeloup, j'appelle Évelyne Coquet et Frédéric Pignot. Ces passionnés de cheval se sont proposé de m'héberger. Hélas, j'arrive le jour des fiançailles de leur fille et ils ont d'autres préoccupations que d'accueillir un galérien nomade. Je passe…

Je déjeune à Gamay et parviens en fin de journée à Decize où je trouve un hôtel ouvert. Toute la journée, le vent a transformé Canard en savonnette. Comme si j'étais en voilier, je dois remonter au vent en tirant des bords. Épuisant. Durant le dîner, je scanne un peu mon organisme. Tout va bien mais attention, cette douleur à l'épaule droite, c'est à brève échéance une tendinite si je ne bois pas davantage d'eau. Au matin, la navigation entre Decize et Nevers se déroule, malgré le mauvais temps, comme dans un rêve. Je me fais l'effet de devenir un vrai marin, manœuvrant Canard comme s'il était un prolongement de moi-même, sans trop y penser. Entre les deux villes, je suis sur un fleuve impétueux, dans une solitude extrême. La lumière sur la Loire, sublime ce matin, me fait oublier le temps infect de ce mois d'août. Les crues ont chassé les maisons loin du fleuve. Les villages sont cachés derrière les arbres, sur des hauteurs, au sec. Les quelques guinguettes ou bistrots à friture sont fermés. Je ne vois pas âme qui vive sinon des nuées de canards et des cormorans. Serais-je moins isolé sur le Mississippi ou l'Orénoque ?

Mes hôtes qui à Nevers m'avaient proposé leur toit forment un beau couple, la quarantaine épanouie. Une fois de plus, la magie de la rencontre fonctionne avec Éric et Maryline et leurs deux filles, Barbara (14 ans) et Elsa (18 ans). J'ai partout reçu un accueil spontané, chaleureux, dénué de toute inhibition sociale, et, avec le recul, je pense que cela tient à la spécificité du voyage nomade. Je suis perçu comme un aventurier et mes hôtes, tout naturellement, entrent dans l'aventure. Nous ne nous connaissons pas, mais sommes déjà complices. Je me sens chez eux comme chez moi et ils m'insèrent sans chichis dans leur quotidien. On ne change rien. Pas de grands repas, de plats spéciaux, de décorum pour le voyageur que je suis et j'en suis heureux. J'ai appelé hier soir, j'aurais pu m'en dispenser et arriver sans prévenir. Leur maison est ouverte, simplement.

Ils viennent de passer des vacances à l'île de Sein où Éric s'est consacré à la pêche. Soirées familiales, relations simples avec des pêcheurs, durant cet intermède. À deux jours près, nous ne nous serions pas vus. Nous découvrons avec Éric, qui est architecte, à quel point nos maisons sont parties intégrantes de nos vies. Étudiant, il était venu faire un stage à Nevers où il a rencontré la belle Maryline et son sort est resté attaché à cette ville. Coup de foudre, un enfant est conçu. Avec l'inconscience de cet âge, ils achètent cette bâtisse, en mauvais état, sans un sou d'avance. La jeunesse, heureusement, ignore le terrible «principe de précaution» qui pousse si bien à ne rien faire. C'est une folie. Mais le couple va, au cours des années, construire sa vie et sa demeure en parallèle. Après Elsa, Barbara, après leur première maison, une autre à côté, où Éric installe son cabinet. Je suis en totale symbiose avec eux car j'ai moi aussi connu cette relation presque charnelle avec une vieille masure, retapée de mes mains et achetée le jour même où nous avons conçu notre premier fils. Ces maisons-là ont une âme. Éric, l'architecte, le sait bien. Leur logis leur ressemble : simple, pratique, dépouillé, rigoureux. La conversation tourne aussi autour de l'architecture de Nevers. À ma grande surprise, les monuments importants ont ignoré le fleuve. La dernière construction, la maison de la culture, tourne même le dos à la Loire.

Éric a construit un autre logis, à La Charité-sur-Loire, pour un couple avec lequel il a gardé une relation amicale. La chaîne des amitiés est toujours prête à recevoir de nouveaux anneaux, et me voici invité chez son ami Yann, une pause nullement prévue à mon programme. Auparavant, ce 25 août, je m'arrête pour un déjeuner chez les Meunier. Alain est maçon. Il en a l'allure, visage carré, muscles noueux d'un homme qui a toute sa vie manié la truelle et le moellon. Enclin à la transmission des savoirs de son métier, il n'a qu'un regret, avoir raté l'opportunité de faire, comme compagnon du devoir, son tour de France. Chantal, éducatrice spécialisée, s'occupe d'enfants en difficulté, un domaine que je connais bien. Le couple habite une maison qu'Alain a bâtie de ses mains avec un amour, un soin que j'admire, moi qui suis un adepte de la serpe et de la hache, si peu soucieux des détails. Si Alain a la main sûre, Chantal a la main verte. Légumes et tomates écarlates rivalisent de couleur avec les fleurs. Tout est beau et promet d'être bon. C'est un lieu de vie harmonieux, un nid que le couple, à l'approche de la retraite, embellit.

La commune de Marzy dans laquelle ils habitent a aménagé un point de vue en hauteur sur le «bec d'Allier». Les familles viennent s'y promener et admirer le spectacle de la rencontre des deux formidables rivières, la Loire et son principal affluent, l'Allier. Certains prétendent d'ailleurs que ce ne devrait pas être l'Allier l'affluent, mais la Loire : à certaines périodes, la rivière a un débit bien supérieur à celui du fleuve. L'Allier, plus accidentée et violente, est d'ailleurs la préférée des kayakistes casse-cou. Les chemins de halage aménagés sont devenus des sentiers de randonnée.

Après un déjeuner auquel les légumes du jardin ont pris une grande part, Alain m'offre une bouteille de gamay 2005, coteaux-du-giennois. Je la garde précieusement dans mon sac. Elle me tiendra compagnie pour le jour, tant attendu, où je bivouaquerai sur une île. En les quittant je trouve, amarrée au beau milieu du fleuve, la première gabarre pontée de mon parcours. Il y en aura beaucoup d'autres. C'est une barque d'environ 8 mètres de long sur 4 mètres de large, sur laquelle est érigée une véritable maison de bois, avec porte vitrée et fenêtres. Les propriétaires peuvent y séjourner. Certaines disposent même, comme les gabarres d'autrefois, d'un petit poêle qui sert de chauffage et de cuisinière.

Je passe le bec d'Allier, un peu déçu. L'affluent dont on m'avait vanté la puissance est en très basses eaux et n'a vraiment rien du géant annoncé. Ma déception est d'autant plus grande que j'escomptais, avec l'apport d'un flux important, naviguer plus aisément une fois passée la réunion des eaux. Il n'en est rien. Près du bec, une grosse gabarre est amarrée au rivage. Un homme travaille à son entretien. L'été, il campe avec un ami près de leur bateau qu'ils utilisent pour faire des croisières sur la Loire en période de hautes eaux, au printemps et à l'automne. Il leur serait actuellement impossible de naviguer. Dommage. Le vent qui souffle chaque jour et contrarie ma progression permettrait à leur gabarre, avec ses 70 m² de toile, de remonter le fleuve sans trop d'effort.

IV

POUILLY ET SANCERRE

Au téléphone, Yann Bourret m'a prévenu : « Six heures de navigation. Sous le pont de La Charité-sur-Loire, passez sous la troisième arche à partir de la droite. Un chemin d'eau vous conduira juste devant chez moi. » À l'heure dite, j'aperçois le pont et la petite ville sur la rive droite, et suis ses indications. Invisible de la berge, la maison possède un rideau d'arbres qui la protège de la chaleur en été et lui permet de voir la Loire en hiver. Yann, la trentaine, est en quelque sorte un fils adoptif du fleuve. Dès son arrivée, à 13 ans, il tombe amoureux de la Loire et du kayak. Un fou, prêt à tous les risques. Au moment des crues, quand le fleuve envahit tout et atteint le sommet des arches du pont, Yann s'installe avec son bateau sur le parapet et se jette dans les eaux bouillonnantes. Très vite, il s'aligne dans les compétitions les plus rudes, s'offre les torrents les plus dangereux. Il achèvera ce cycle par le parcours royal des kayakistes : la descente du Zambèze. Le gaillard est aussi carré et costaud que sa femme, Cécile, est mince et élancée. Tous deux sont éducateurs spécialisés comme Chantal Meunier avec qui je viens de déjeuner. Le couple a deux gamins, Lola (6 ans) et Lucas (4 ans). Yann s'active, durant ses loisirs, à des finitions sur sa maison de bois. Pendant le dîner, nous parlons évidemment des jeunes en difficulté auxquels ils consacrent leur énergie. J'explique longuement Seuil, insistant sur cette notion essentielle : ces jeunes ont d'autant plus besoin de caresses qu'ils en ont rarement eu, contrairement au bâton qu'ils connaissent souvent trop bien.

Le matin, Yann appelle son ami Yvon Thibaudat qui anime un club de canoë-kayak à Saint-Thibault, ma prochaine étape. «Yvon, me précise Yann, connaît chaque oiseau, chaque poisson, chaque caillou, chaque fleur et chaque arbre de la Loire. Il va vous plaire.» J'ai l'impression d'être un de ces galets plats lancés de la rive. Je ricoche d'hôte en hôte, avec un bonheur sans pareil.

Avant de reprendre la route ou plutôt le chemin d'eau qui m'emportera un peu plus tard, je visite la ville. La Charité-sur-Loire est dominée par un ensemble de bâtiments religieux d'une grande beauté. Le destin de la ville est singulier. Prieuré clunisien au XIIᵉ siècle, assiégée par Jeanne d'Arc en 1429, la cité devient protestante et connaît, à son échelle, une Saint-Barthélemy avant d'être reconnue comme place forte par Charles IX, en même temps que La Rochelle et Montauban. En 1840, l'intervention de Prosper Mérimée empêche la destruction du cloître et des deux églises que les autorités voulaient raser pour faire passer une route. L'avenir lui a donné raison : l'une d'elles a été récemment inscrite au patrimoine mondial par l'Unesco.

En 1986, une tornade arrache la plupart des toits. La Charité se meurt, la population diminue et aujourd'hui ne dépasse guère cinq mille habitants. Mais elle a la peau dure et va être de nouveau sauvée par la culture. Au début des années 1990, un libraire parisien, Christian Valleriaux, vient s'installer et une foire du livre ancien est organisée en 1996. Depuis lors, une dizaine de libraires occupent les commerces désertés. S'y ajoutent plusieurs artisans travaillant le livre : relieurs, enlumineurs, typographes… Chaque année, une demi-douzaine de manifestations ont lieu autour du livre ancien dans la cité désormais appelée «ville du livre». La première de ce nom fut la petite cité de Hay-on-Wye, au pays de Galles. Je fais mes adieux à la famille de Yann et me laisse paresseusement porter par une Loire bonne fille, un peu à sec mais finalement assez navigable. Le tirant d'eau que demande mon Canard vert est faible, quelques centimètres à peine.

Pouilly-sur-Loire. Au bout du pont qui enjambe le fleuve, une inscription rouge sur une plaque blanche : «La Loire». Un trait vertical indique, à gauche «496 kilomètres de la source», à droite «496 kilomètres de l'embouchure». Ainsi, je suis à moitié du parcours et, pour fêter l'événement, je m'offre un bon déjeuner dans un restaurant. Le temps épouvantable a chassé les touristes et, dans la grande salle à manger, les seuls commensaux sont un couple de petits vieux (je veux dire plus vieux que moi) qui mastiquent en silence puis s'en vont à pas comptés. Dans le village, je prends un cours sur le vignoble local. On produit ici le pouilly fumé. Ce vin blanc tient son nom à la fois de la couleur des raisins de sauvignon mûrs et du terroir qui lui donne un goût de «pierre à fusil». À ne pas confondre avec le pouilly-fuissé de Bourgogne. Sur l'autre rive, c'est le royaume des sancerres. Je ne suis pas particulièrement œnologue, mais j'entame ici la visite des terroirs aux noms si poétiquement œnologiques. Dans les cafés, les buveurs attablés commandent des fillettes. Petites bouteilles de 37,5 centilitres au cul très épais, sans doute pour faire croire que le contenu est plus important. Le terme était à l'origine réservé à la région des vins d'Anjou, mais il a quelque peu émigré. Un vieux paysan rigolard à l'accent rocailleux des Berrichons, l'œil coquin, me lancera en parlant des habitants à l'aval du fleuve : « Méfiez-vous de ces gens-là, ils se tapent des fillettes. » Je ne me « taperai pas de fillettes », car il est difficile de concilier pagaie et abus, mais je compte bien les goûter tous, ces crus de rêve.

★★★

Yvon Thibaudat, silhouette sportive, œil vif derrière ses lunettes, est un brillant causeur et un excellent pédagogue. Je lui dois l'un de mes meilleurs moments quant à la compréhension de ce fleuve. À mon arrivée, il n'est guère disponible. Le chalet de bois qu'il appelle sa « base » de canoë-kayak, où se déroule son activité, est envahi par un joyeux groupe. L'animateur a organisé pour ses voisins et des amis grenoblois de passage une sortie nocturne sur l'eau. Malgré les fatigues de la navigation, je suis évidemment partant et laisse entendre que, si par hasard il reste une petite place pour l'expédition… aimablement, on m'en trouve une.

La journée est bien avancée quand Yvon nous embarque dans deux voitures et un minibus qui tire une remorque sur laquelle sont attachés six canoës. Nous faisons d'abord un détour sur une colline pour un bref cours de géologie. En contrebas, la Loire a creusé sur des terrains calcaires ses nombreux lits dans la plaine. Nous les apercevons frayant leur chemin entre des murs de peupliers. Suit un cours d'histoire. Depuis l'Antiquité, sous l'impulsion des Romains, le fleuve a servi de route principale. Plus tard, les Vikings ont régulièrement ravagé ses rives, brigandé le pays et razzié les riches abbayes. Entre les crues et les pillards, il ne faisait sans doute pas bon vivre ici. Mais c'est la technique des montages à clin des drakkars qui a inspiré la construction de ces gabarres, qui ont ensuite fait la fortune des riverains. Et c'est dans cette vallée, en aval, que le formidable mouvement de la Renaissance a fait sortir notre pays du Moyen Âge.

Nous reprenons la route et les canoës sont mis à l'eau quelques kilomètres en aval de Pouilly. Yvon se mue alors en un extraordinaire professeur de nature, un seigneur en Loire. Sa chaire est son bateau, son sceptre la rame qu'il agite debout dans le canoë, la Loire son domaine. Il sait tout, entend tout, voit tout ce que, pauvres aveugles, nous ne pourrions découvrir s'il ne soulevait le voile. Ce cri, c'est celui d'un guépier d'Europe, de couleur bleue, le plus bel oiseau de Loire, nous dit-il. Ici, cette trace dans le sable, c'est le passage d'un ragondin, mais cette autre, plus large, a été provoquée par la queue d'un castor, une troisième révèle la présence d'une loutre. Et cette fleur blanche qui ne fleurit qu'à la nuit? Je n'ai hélas pas pris mon carnet de notes et j'en ai oublié le nom. J'ai juste retenu qu'elle est toxique et que les druides la recherchaient pour leurs décoctions magiques. Yvon connaît toutes les plantes qui poussent ici, l'armoise, la bardane ou «herbe aux teigneux», hérissée comme un oursin, la chélidoine ou «herbe à verrues», le magnifique lamier maculé appelé aussi «ortie rouge» ou «pied-de-poule», le bouillon blanc, une superbe colonne fleurie... jaune (contrairement à ce que dit son nom) que l'on nomme aussi «cierge de Notre-Dame», l'onagre dont les feuilles sont comestibles et les boutons préparés en câpres, et le pourpier qui s'étale sur le sable. Sur les berges poussent le frêne, le peuplier noir, le saule

et, dans les sous-bois, le sureau. Ce trou dans la végétation, précise notre guide, c'est la sente des gros gibiers.
Cerfs, chevreuils et sangliers viennent s'abreuver au fleuve
au petit matin ou à la nuit tombante. Nous nous laissons
entraîner par le courant, à portée de voix de notre docteur
ès Loire. Il poursuit son cours. Les peupliers, malades, jaunissent avant l'automne. Un cri dans le soir qui tombe?
Notre guide décrit l'oiseau qui l'a poussé, sa couleur, sa
forme, nous apprenons quand il niche et combien il élève
de petits. Une tache brune au fond du fleuve? C'est là
que les archéologues amateurs trouvent toutes sortes de
fossiles. Yvon en a d'ailleurs exposé quelques-uns sur le
réfrigérateur dans son chalet.

Bref arrêt sur un îlot. À partir d'une souche échouée,
Yvon explique aux onze paires d'oreilles qui le cernent
comment se construit une île sur la Loire. Tout d'abord,
en période de crue, un amas de sable se forme derrière
l'obstacle apporté par le fleuve, la plupart du temps un
arbre ou une souche. Sur ce monticule, durant les basses
eaux, quelques plantes vont pousser et fixer l'humus sur
lequel des arbustes prendront racine avant de devenir des
arbres capables de résister aux crues. Le fleuve va alors les
contourner, élargir son lit pour se frayer un passage. Et
c'est ainsi que la Loire n'est jamais semblable d'une année
à l'autre, d'une décennie à l'autre. Elle crée des lits laté-
raux, les «boires» qui s'assèchent en été mais reprennent
vie aux fortes eaux d'automne et de printemps.

Nous abordons une autre île. Des verres, des assiettes,
une bouteille de pouilly circulent pendant qu'un feu est
allumé et les grillades sorties. Le soir nous enveloppe
d'ombres. Dans la nuit qui tombe, tout prend un goût
particulier d'aventure. Les relations, un peu guindées, voire
mondaines lors du premier contact, se réchauffent. On se

tutoie naturellement, sans effort, entre flibustiers d'un soir. Les conversations deviennent plus fraternelles. Autour de nous, tout un peuple aquatique se met en vie, crie, bouge. Sur des hauts-fonds, des poissons se rassemblent par milliers comme pour se tenir chaud et font frissonner la surface. Un choc et, dans un grand remue-ménage de sable et de vase, ils disparaissent comme des flèches, traçant des lignes de panique en forme de roses des vents qui s'évanouissent à peine ébauchées.

Au moment où nous éteignons le feu et regagnons nos embarcations, la magie s'installe véritablement. Les six canoës se rapprochent et s'accrochent les uns aux autres pour former une sorte de radeau qui dérive lentement dans la nuit sans lune. Le vent s'est calmé. La Loire est un miroir sur lequel scintillent les étoiles. Du ciel tombe une lumière légère que la surface renvoie amplifiée, par phosphorescence sans doute, comme si elle trouvait au fond de l'eau un renfort lumineux. Au-dessus de nos têtes, les cimes des arbres se détachent sur le firmament et leurs ombres glissent doucement vers l'arrière. Nous avons l'impression d'être arrêtés et que ce sont elles qui se déplacent. Nous fouillons les alentours du regard, à la recherche d'un reflet, de l'éclat fugitif d'un œil animal.

Yvon connaît son fleuve au millimètre. Il doit avoir des yeux de chat. De temps à autre, il demande à un rameur à l'arrière de donner un ou deux coups de pagaie pour dévier imperceptiblement notre esquif multiple afin d'éviter un rocher ou une souche. Rassurés et subjugués par la fantasmagorie, les yeux aux aguets, les oreilles attentives, nous sommes pénétrés par les images noires, les sons sourds, les clapotis, les chuintements de l'eau sur une roche ou un arbre abattu, le glissement d'un animal sur l'onde... Pas une fois notre radeau ne heurte un obstacle tant Yvon vit son fleuve par cœur. J'ai l'impression qu'il est le seul à voir, que nous sommes tous aveugles. Aucun d'entre nous ne moufte, fasciné par l'aventure, le mystère qui nous cerne, les fantômes qui nous accompagnent. Lorsque, trop tôt, nous retrouvons le village, les six canoës restent soudés pour franchir un petit rapide et il s'ensuit un grand éclaboussement. Mon pantalon est trempé. Mais pour vivre de tels moments, j'aurais accepté d'être immergé jusqu'au cou. Pour la nuit, Yvon met à ma disposition son chalet-club-base. À l'étage, je m'effondre sur l'un des quatre lits et dors d'un sommeil sans rêves.

Cette passion pour la Loire est sans limites. Yvon se rend de temps à autre à La Charité-sur-Loire pour consulter un botaniste qui complète son savoir sur les plantes. Nous parlons de son métier. «Il faudrait, dit-il, intéresser les enfants à la randonnée, pas à la compétition.» À chaque sortie, il choisit un thème et les gamins s'instruisent.

Au matin, il me demande d'ouvrir l'œil en chemin : un canoë a été volé à l'un de ses collègues et il se pourrait que je l'aperçoive, abandonné sur quelque rivage. Ce ne sera pas le cas. J'ai dix secondes pour faire mes adieux et remercier mon hôte, déjà assailli par une troupe de gamins brûlant de se lancer dans une aventure sur la Loire. Il me serre la main, saute dans sa camionnette et disparaît, traînant une demi-douzaine de canoës aux couleurs criardes.

***

Pourquoi ai-je choisi cet endroit ? Peut-être à cause de son nom : «l'île des Loups». Une bande de chiens aboie sans discontinuer de l'autre côté de la Loire. Mais sur mon îlot, je ne crains rien. Après une journée de navigation sans événement particulier, j'ai eu envie de solitude pour un soir, et décidé de jouer les Robinson au milieu du fleuve. J'ai planté ma tente sur une grande plage de sable. Elle est bordée d'un côté par des buissons et des touffes de salicaires grenat adossés à quelques saules, de l'autre par un bras du fleuve. Il m'a fallu innover car les petits piquets de ma tente coulaient dans le sable sans parvenir à fixer la toile qui retombait comme une chiffe molle. J'ai taillé des branches de peuplier que j'ai enfoncées si bien et si loin que la tempête peut se lever, ma guitoune lui tiendra tête. Une souche immense, apportée par une crue, étale ses racines comme des pattes d'araignée auxquelles s'accrochent des plastiques et des tissus qui achèvent de pourrir. Elle repose partiellement dans une mare où des insectes vibrionnent. Le bois mort abonde et, pour ma première nuit sur mon île, j'ai d'abord fait un grand feu. Tête en l'air comme de coutume, je m'étais aperçu dans l'après-midi que j'avais omis d'acheter un briquet, le mien ayant peu goûté les naufrages. Un jeune d'une équipe qui s'entraînait au foot m'a donné le sien avec un grand sourire : « Ça va m'empêcher de fumer au moins pour un moment. »

Je prépare un festin de pâtes qui se révèlent mal cuites, mais néanmoins délicieuses. Une pomme et un gobelet du vin offert par les Meunier, et me voilà prêt à passer une bonne nuit. Je reste longtemps à rêver, adossé à un arbre mort en regardant la sarabande des flammes. De temps à autre, je jette quelques morceaux de bois sec qui crépite sur les braises. Le sommeil me gagne à mesure que le feu perd de son intensité. Tant que la chaleur des braises et la fumée me protégeaient, les moustiques et autres bestioles piquantes se tenaient à distance. Une fois le feu éteint, sous la tente, ma lampe frontale les attire comme un phare. Ils sont si nombreux à heurter le double toit qu'à plusieurs reprises je crois qu'il pleut. Le tissu doit être hérissé de dards gourmands, qui plongeraient avidement dans mon épiderme si je m'en approchais trop.

Ce matin, la lumière de Loire allume chaque feuille comme autant de loupiotes tremblotantes. Il fait un grand soleil. Mais je suis devenu sceptique. Les journées, en ce mois d'août, se déroulent habituellement ainsi : soleil à 9 heures, nuages à midi, pluie, vent et froid à 15 heures, jusqu'au soir. Le plaisir que j'ai à profiter de ce beau temps est trop grand. Je m'arrête en chemin dans une courbe où l'eau est profonde et, après avoir vérifié qu'il n'y a pas âme qui vive dans les alentours, je pique une tête tout nu dans la Loire. Je ne suis pas le seul. Il y a quelques jours, dans la partie torrentueuse du fleuve, j'ai surpris un homme nu qui ne m'avait pas vu ni entendu venir dans le fracas des courants. J'achève de me rhabiller quand trois canoës d'adolescents chahuteurs passent près de moi. Les jeunes garçons se lancent des défis, s'éclaboussent, se poussent à l'eau. J'en retrouverai deux un peu plus bas. Après avoir chaviré, ils ont hissé le bateau sur une plage pour le vider et soufflent un peu. Les autres ont filé.

Je continue mon existence de palet rebondissant de place en place. J'ai tout mon temps et m'arrête dans la jolie ville de Cosne-sur-Loire. Le Nohain, un affluent de la rive droite, a été canalisé et les bassins et canaux fleuris sont du plus bel effet. Saisi par l'ambiance, j'opte pour un déjeuner à la terrasse d'un restaurant appelé *La Petite Venise*. Soleil quand je mange l'entrée, ciel plombé au dessert. Il est temps de remonter à bord de mon vaisseau.

Sur le fleuve, je m'arrête un moment pour bavarder avec Jérôme Derangère, un pêcheur professionnel occupé à lancer l'épervier. C'est un exercice difficile et très spectaculaire. Il faut d'abord attraper le filet par le centre et dégager soigneusement les plis de manière à ce qu'ils ne s'accrochent pas entre eux. Ayant repéré une nuée de petits poissons qu'il appelle «ziables» et spirlins, Jérôme amorce un balancement du piège puis, comme un lanceur de marteau, fait un tour et demi sur lui-même et lance l'engin qui s'étale en une superbe corolle et emprisonne tout le banc. Le geste est beau, efficace. Il ne lui reste plus qu'à attraper les bestioles par poignées et à les mettre encore frétillantes dans un cageot de plastique à claire-voie posé dans une eau peu profonde. Les poissons resteront frais jusqu'à la table du restaurant. La saison de pêche à la friture commence. Jusqu'à maintenant, Jérôme a surtout pris de grosses anguilles à «l'avalaison», au moment où elles descendent vers l'Océan pour aller se reproduire à l'autre bout du monde. Il est associé à un autre pêcheur et ils utilisent, lorsqu'ils travaillent ensemble, un grand filet appelé «senne». Contrairement à l'épervier, elle nécessite deux personnes pour être tendue en travers du fleuve.

Vit-il de son métier? Oui, mais il peste contre les nombreux restaurateurs qui trichent. Ils achètent 2 ou 3 kilos de poisson frais afin de disposer de factures et, pour le reste, servent des fritures congelées à leurs clients. Chaque fois qu'il constate de tels comportements, Jérôme cesse de leur vendre sa pêche. Durant l'été, il organise des sorties en bateau, des déjeuners ou des dîners, des séjours, y compris nocturnes, dans les îles [1] et même des robinsonnades très particulières: des «enterrements de vie de garçon ou de jeune fille».

Alors que je le quitte, je vois apparaître deux grandes tours blanches surmontées de nuages de vapeur. C'est

1. www.weekendloirenature.com

Belleville, la première centrale nucléaire sur le fleuve. Il y en aura d'autres. Ces grosses bouilloires servent à refroidir la vapeur à très haute température produite par le réacteur pour actionner les turbines électriques. De mon minuscule esquif, j'évalue mieux, à mesure que j'approche, l'énormité de ces constructions.

Anna Ruelle est la responsable de la Maison de Loire à Belleville. Cet organisme est installé dans une ancienne ferme, La Petite Glas, pratiquement dans l'ombre de la centrale dont Anna se défend de faire la propagande. Le lieu ne supporte pas la comparaison avec l'ObservaLoire que j'ai visité à Digoin. Des fleurs séchées et quelques tableaux sur la flore au long du fleuve sont les seuls instruments pédagogiques. En réalité, Anna et ses collègues sont là pour faire des relations publiques avec les communes alentour, et répondre aux riverains inquiets des informations – fantaisistes selon elle – qui circulent. Les barrages d'EDF, dit-on, augmenteraient la violence des crues en faisant de gros lâchages afin de protéger l'ouvrage, alors qu'il y a déjà trop d'eau en aval. Faux, affirme-t-elle. Difficile de la croire. Comment EDF ou les gestionnaires du barrage pourraient-ils prendre des risques pour la sécurité de la centrale, sous prétexte de protéger les riverains en aval de la crue ? La sécurité élémentaire consiste bien évidemment à soulager la pression sur l'ouvrage en cas de forte crue et donc à faire des lâchages pour laisser passer le flux lorsqu'il est trop important. Ce n'est pas honteux de le dire.

À Belleville, l'étiage le plus faible fut de 10 m³, l'été 1949, c'est dire si la Loire était presque à sec. On découvrit à cette occasion dans le lit du fleuve les restes de constructions datant de l'époque gallo-romaine. La plus grosse crue de la Loire peut ici faire monter son débit à

8 000 m^3 par seconde. Dès qu'il atteint de 3 500 à 4 000 m^3 par seconde, les routes et les champs sont submergés. Là encore, Anna doit se faire pédagogue, car des paysans accusent les responsables de les inonder volontairement. Pas tout à fait inexact : dans certains endroits, faute de pouvoir totalement endiguer les crues, on a ménagé des zones «inondables» afin d'affaiblir la force du fleuve en lui permettant de prendre ses aises. Tenter de l'emprisonner serait vain et provoquerait des dégâts bien plus considérables. Difficile à faire accepter à ceux qui, aux crues de printemps ou d'automne, se retrouvent au premier étage de leur maison à contempler leur salle de séjour et leur jardin recouverts d'une eau boueuse. J'apprends aussi que les barrages de Villerest et de Grangent font en sorte que, en été pendant l'étiage, le débit de la Loire soit au minimum de 65 m^3 par seconde. Sans ce volume, les centrales nucléaires, en panne sèche, seraient incapables de fonctionner, ne disposant plus d'assez d'eau de refroidissement.

J'ai laissé Canard se reposer au milieu des berces. Ces fleurs étonnantes montent à plus d'un mètre de hauteur et présentent une sorte de parapluie de graines qui, une fois sèches, tombent au moindre contact. Tout en déjeunant près du pont suspendu de Châtillon-sur-Loire, je suis des yeux une petite vieille rabougrie et voûtée qui promène au bord du fleuve une longue canne à pêche et un seau. Elle est probablement venue se pêcher une friture, mais ne tient pas en place et change dix fois d'endroit en une heure. Je reprends la navigation. J'aperçois sur une île une sorte de couverture blanche. À mon approche, elle se met à frémir et forme un nuage multiforme qui s'éloigne comme un tapis volant à franges. Sans doute des aigrettes, mais d'aussi loin je ne connais pas assez ces oiseaux pour être affirmatif. Certaines portions de fleuve ont été décrétées réserves naturelles et les hérons cendrés, les aigrettes, les canards et les cormorans y pullulent.

Spectacle insolite à un tournant du fleuve : je tombe nez à nez avec un grand adolescent qui remonte la Loire, dans l'eau jusqu'à la ceinture, en poussant une bicyclette. Étonné, je l'interroge. Il a suivi un sentier latéral qui s'est interrompu dans un bois dont la végétation trop dense interdit le passage. Il remonte donc, espérant retrouver un chemin de halage en amont. Je lui dis que je n'en ai pas vu mais, obstiné, il poursuit son expédition. Le fleuve est encombré de centaines de souches et d'arbres arrachés aux rives à chaque crue. Je m'étonne que les pouvoirs publics, toujours prêts à construire de nouveaux barrages pour prétendument réguler la Loire, ne fassent pas nettoyer ces facteurs de crues. En effet, quand l'eau monte, gênée par ces divers obstacles, elle se répand sur les terrains alentour au lieu de rester dans son lit. On a aussi, presque partout, cessé de prendre soin des rives ou des barrages érigés autrefois pour contenir le fleuve lorsqu'il se fâche. La ferme de Michel Plançon ne risquerait pas de tomber dans les flots si le petit barrage qui, en amont, maintenait la Loire dans son cours depuis des siècles, l'empêchant d'aller battre la campagne, avait été entretenu.

***

Le château de Gien qui se proclame le premier des châteaux de la Loire n'est guère visible, caché derrière des façades d'immeubles. Un peu plus loin, après les deux bouilloires de la centrale de Belleville, je découvre les quatre tours de refroidissement de celle de Dampierre qui se dressent orgueilleusement au bord du fleuve. Je fais un portage sur le petit chemin qu'EDF, soucieuse de plaire aux navigateurs et aux promeneurs, a tracé, agrémenté de deux plans inclinés pour faciliter les abordages. Il serait heureux que les municipalités s'inspirent de cet exemple, elles qui sont si attentives à la circulation automobile et si peu concernées par la circulation fluviale, pourtant porteuse de richesse touristique.

Ce 28 août, j'ai pagayé huit heures et demie mais ne me sens pas trop fatigué. Le temps est encore frisquet, cependant, l'effort aidant, je n'ai pas froid en maillot de corps alors que sur les rives les pêcheurs ont enfilé pull et ciré. Je traite par le mépris les petites ondées et ne prends même plus la peine de sortir mon poncho. À peine l'averse a-t-elle cessé que mon T-shirt est sec. Deux hôtels sont complets à Sully-sur-Loire mais je trouve une chambre dans le troisième. J'ai retourné Canard et l'ai garé sous le pont, attaché à un anneau scellé dans un pilier. Le matin, je vais voir le château du duc de Sully. Ce sera l'une de mes rares incursions dans les merveilles architecturales du Val de Loire. On nous a traînés, trop jeunes, avec l'école, dans d'interminables visites de châteaux, qui m'ont dégoûté pour un moment de piétiner derrière des guides plus soucieux parfois d'étaler leur science ou de réciter une litanie que de se mettre à la portée de gamins incultes et vite chahuteurs.

La visite me distraira et, peut-être, m'instruira. J'apprends en effet que la dernière descendante du ministre du Vert Galant, persuadée de la présence d'un trésor caché, a fait fouiller le château pendant des années. Chaque vaine tentative la persuadait de recommencer ailleurs car, forcément, après la déveine, la chance allait venir… Elle me fait penser aux joueurs du loto. Finalement, elle sera, comme eux, ruinée et le conseil général rachètera l'édifice. Tout en suivant le guide, je souris intérieurement en me souvenant que, potaches, nous avions trouvé une astuce mnémotechnique pour nous rappeler le nom du duc : « Henri IV fait Sully. » Pas très subtil mais efficace puisque soixante ans après je le sais encore. La ville qui souffre un peu de l'idée convenue que la Loire des châteaux commence à Orléans défend son patrimoine. Un étudiant de l'université du Maine a publié l'histoire du château en feuilleton dans le *Journal de Gien*. Cet ouvrage qui fait allusion à un trésor caché est peut-être à l'origine des lubies de la malheureuse châtelaine.

La librairie d'Olivier Morin est à deux pas des douves du château. L'homme est si amoureux des livres qu'il ne se contente pas d'en vendre mais en publie, notamment sur l'histoire locale. Le jour où je frappe à sa porte est un jour particulier : il sort un ouvrage écrit par l'ancien maire d'un village voisin, Raymond Perrot, qui à sa retraite s'est lancé dans l'écriture de l'histoire de sa commune. Olivier Morin est un conteur-né. Déjeuner avec lui est un régal. Il m'entraîne d'abord dans le passé de la ville et du fleuve. Gien et Châteauneuf étaient des ports plus importants que Sully. Mais la cité et le château ont l'avantage d'être protégés des crues par les travaux qu'avait fait réaliser le maître des lieux. Une digue tient le fleuve à distance et la ville ne craint plus ses colères qui se soldent, au pire, par quelques caves inondées. Après la guerre de 1939-1945, on avait imaginé de détourner une partie des eaux de la Loire pour alimenter Paris. Un comité de défense fut créé et le projet abandonné. Ici comme tout au long de son cours, les riverains défendent leur fleuve et lui pardonnent ses foucades ou s'en accommodent.

Alors que je m'extasie sur l'extraordinaire hospitalité dont je profite au long du parcours, Olivier regrette que par ici – est-ce la peur ou une certaine réserve? – on n'ouvre pas facilement sa porte. Il estime qu'en Touraine les gens sont plus accueillants. Je verrai bien. C'est moi qui ai invité Olivier à déjeuner, mais, jouant de sa position vis-à-vis de l'aubergiste, il me trahit honteusement et règle l'addition.

Sur sa recommandation, je tente sans succès de rencontrer Denis Chavigny, un naturaliste dont on m'a vanté le talent pour croquer la faune et la flore de la Loire. Il est connu ici pour son manque de convivialité. Il faut croire qu'à force de fréquenter les hommes et les bêtes il a fait son choix en faveur de ces dernières. Je frappe à plusieurs reprises à sa porte sans obtenir de réponse. On m'a prévenu : ce n'est pas parce qu'il n'ouvre pas qu'il est absent. Dommage, j'aurais aimé parler avec le phénomène. Je ne me suis pas déplacé pour rien. En face de chez lui, j'admire une petite maison ravissante, couverte de tuiles rouges, qui porte l'inscription : «Quartier du vieux port au bois. Confrérie des mariniers de Loire. Maison de pêche. Architecture ligérienne.»

De retour auprès de Canard, je découvre deux magnifiques cadeaux déposés par Olivier Morin qui m'avait demandé, l'air de rien, où j'avais garé mon bateau. Le premier est un livre de… Denis Chavigny, avec des centaines de dessins d'oiseaux, de fleurs et d'animaux de la région, lapins, hermines ou ragondins. Ils sont d'une vérité et d'une qualité rares. L'auteur ne se contente pas de les croquer, il fournit des informations sur leur nourriture, leurs habitudes. Pour illustrer la richesse de la faune, le 2 juillet 1992, entre 5 h 30 et 10 heures du matin, il dessine sur une double page cinquante-deux espèces d'oiseaux et ajoute qu'il en a entendu huit sans les voir[1]. L'autre présent est un gros volume, *Approche archéologique de l'environnement et de l'aménagement du territoire ligérien*. Ce sont les actes d'un colloque organisé en novembre 2002 par la fédération archéologique du Loiret à Orléans. En feuilletant ce document extrêmement savant, je découvre que la Loire était, dans la région d'Ancenis, un des plus grands ports de l'Empire romain, utilisé pour le transport des personnes et des richesses locales vers tout le monde antique.

Très touché par cette attention du libraire, je reprends le chemin d'eau et m'arrête à Châteauneuf visiter le musée de la Marine de Loire. Je complète ainsi ma culture du fleuve, amorcée à Digoin. Au XVIᵉ siècle, la Loire comptait environ cent vingt péages et trente-cinq à la veille de la Révolution. C'est dire si le commerce et la navigation étaient une source considérable de revenus pour les riverains. Les bacs, nombreux, ne chômaient pas et le tarif des passages variait. Selon que l'on était fonctionnaire, paysan ou cheval, il fallait débourser une somme différente pour passer d'une rive à l'autre. La construction des ponts a réduit les passeurs au chômage, mais pas tous. Les plus malins ont rangé leur bac mais ouvert un bistrot à l'entrée du pont, comme à Bonny où je bois un café tout en admirant le minois de la souriante serveuse, un vrai paysage à elle seule.

Les marins qui descendaient en sapines remontaient à pied et n'avaient donc pas l'obligation de haler le bateau au retour comme devaient le faire ceux qui travaillaient sur les gabarres. Buveurs, bagarreurs, coureurs, ils étaient très amateurs de filles et volontiers impertinents, rigolards,

---

1. Denis Chavigny, *Carnets d'un naturaliste au fil de la Loire*, Nathan, Paris, 1994.

voire scabreux. Jean-Baptiste Louis Gresset, l'auteur de *Ver-Vert, perroquet de Loire*, a écrit ces vers au XVIIIe siècle :

> *Désir de fille est un feu qui dévore*
> *Désir de nonne est cent fois pis encore…*

Les gabarres étaient surmontées d'une cabine dans laquelle on trouvait un fourneau, un garde-manger, un pot à vin, un petit meuble, un banc, une lanterne, un coffre à légumes, un filet et une foëne. Ce harpon à plusieurs piques permettait d'améliorer l'ordinaire lorsqu'un gros poisson paressait sur un banc de sable. Les marins saluaient les lavandières sur les rives. Sous certains ponts, un moulin à eau occupait une arche. Par vent favorable, la remontée se faisait à la voile. Les bateaux étaient équipés d'un « guinda », le cabestan qui servait à abaisser et à relever le mât au passage des ponts. En hiver, il y avait parfois l'embâcle, quand de gros morceaux de glace s'amassaient en amont des ponts et bouchaient le passage. Il fallait alors attendre la débâcle pour continuer le voyage.

Toute cette culture marine de la Loire a été mise à mal avec l'arrivée de la machine à vapeur, les trains acheminant plus rapidement vers Paris le vin, le charbon et le bois. Mais elle a aussi révolutionné le trafic dans la partie navigable. En 1839, on mit en service les « inexplosibles », des bateaux à vapeur dont le nom rassurait les plus timorés. Plus rapides, plus fiables pour les horaires, ils vont, dès lors, monopoliser le transport des voyageurs et d'une partie des marchandises, remisant les gabarres au musée.

V

CHEVERNY BLANC

Ce 30 août, je m'offre après Châteauneuf un déjeuner sur une plage de sable fin : un peu de pâté sur une tartine et un melon parfumé. Il fait très chaud. La météo annonce des intempéries pour le lendemain. Le baromètre de ma montre descend en chute libre. En attendant, je prends du bon temps et me baigne avec délices peu après Jargeau dans un « cul de grève ». Le sable de la Loire est très spécifique. On véhicule à son sujet des histoires effrayantes. En cette saison, la profondeur de l'eau sur les fonds sableux est habituellement d'une cinquantaine de centimètres, voire moins. On peut donc y marcher sans problème. Mais une pente abrupte donne parfois sur un trou qui peut dépasser les deux mètres. En raison des forts courants et des remous, le sable est sans cesse en mouvement et ces culs de grève se déplacent continuellement. À l'époque où peu de gens savaient nager, ils ont souvent provoqué accidents et noyades. La Loire garde encore de nos jours une réputation de dangerosité, de tourbillons avaleurs d'hommes et de sables mouvants.

Pendant que je me sèche à ce soleil providentiel, des

groupes de jeunes gens passent devant moi. Ils profitent d'une belle journée sur le fleuve avant la rentrée scolaire, lundi prochain. J'apprends par un appel du bureau de Seuil que notre siège a été cambriolé. Les voleurs ont fait main basse sur la caisse et emporté argent, chéquiers et Cartes bleues. Cela n'améliorera pas nos finances. Le temps est magnifique, c'est mon premier vrai jour d'été depuis le départ. Il me fait relativiser ces soucis qui me rattrapent. La Loire, sous le soleil, est une sorte de bord de mer dont la plage n'aurait pas de fin. Des armadas de canoës jaillissent ici et là et se laissent porter par le courant. Jeunes et moins jeunes s'amusent, s'interpellent, essaient de se faire chavirer à grands cris. Sur les plages, outre les traditionnels pêcheurs à la ligne que je vois depuis mon départ, des familles pique-niquent ou font trempette. Des Vénus s'exposent au soleil, côté pile puis face, mais le lieu est très familial, très comme il faut. On sait se tenir : ni strings ni seins nus. Des gamins jouent au foot ou au volant. Un groupe est venu avec deux voitures à cheval, élégantes et fragiles. Les bêtes, dételées, patientent au bord de l'eau pendant que leurs maîtres étalent les victuailles sur des couvertures.

La Loire est devenue raisonnable, un peu par force. Ses rives sont surmontées de «levées», des murs de terre qui la contiendront lorsqu'elle se mettra en colère. Elles présentent un inconvénient pour le canoéiste : au ras de l'eau, tout le paysage lui échappe, les levées agissant comme ces œillères que l'on met aux chevaux peureux pour qu'ils ne soient pas surpris par des images latérales. En arrivant à Orléans, un kayakiste d'une trentaine d'années, torse nu, me fait un brin de conduite et me dit sa joie d'avoir découvert la navigation. En pleine ville, j'attache Canard à un anneau et m'offre une belle nuit de repos dans un hôtel.

J'ai navigué tous les jours depuis Digoin et la fatigue commence à se faire sentir, particulièrement en fin de journée. Pas au point de m'obliger à m'arrêter. Je m'émerveille de pouvoir pagayer des heures sans en arriver à l'épuisement. J'ai l'impression que mes épaules ont pris du volume. Mes abdominaux qui travaillent beaucoup me font un ventre bien plat. J'ai dû maigrir un peu car j'ai gagné un cran à ma ceinture, mais tout va bien. La réverbération de l'eau a amplifié le bronzage. Mes bras, mes cuisses et mon visage ont pris une teinte cuivrée et je commence à ressembler à un Peau-Rouge.

J'ai atteint, ces derniers jours, un état de grâce, celui qui échoit au voyageur qui se déplace par sa propre force physique. Le corps triomphant, les muscles souples, les articulations huilées, une surproduction d'endorphines, ces substances du bonheur produites par le corps dès qu'un effort important est quotidien… je glisse sur l'eau et plane dans l'air tout à la fois. J'entre ainsi dans un merveilleux cercle vertueux que je connais bien. L'âme et l'esprit en paix, je suis détendu, disert, aimable avec les personnes de rencontre. Cela ressemble au bonheur.

À Orléans, la Loire accomplit le deuxième grand virage de son parcours. Depuis Rieutord, elle avait pris la direction du nord. Ici, à une centaine de kilomètres de la Seine, elle oblique vers l'ouest. Elle ne changera plus d'avis jusqu'à l'Océan. Le 31 août au matin, je pars de très bonne heure avec un objectif ambitieux : rejoindre Saint-Dyé dans la soirée. Sur l'eau, il m'est toujours difficile de calculer les distances d'un point à un autre. Selon mon estimation – les cartes en ma possession ne l'indiquent pas –, les deux villes devraient être éloignées d'une bonne cinquantaine de kilomètres. Serai-je capable de couvrir une telle distance en une journée ? J'ai prévenu Emmanuelle Somer qui doit m'accueillir ce soir d'une arrivée sans doute assez tardive.

Très vite, le vent se lève. De face, évidemment. Un vent d'ouest violent qui provoque du clapot puis de véritables vagues dont certaines moutonnent. Je reçois des embruns, comme en mer. Canard file de droite et de gauche et se déguise de nouveau en savonnette sur un carrelage mouillé. Je m'épuise et n'avance plus. Je suis si fatigué qu'en accostant pour boire et me reposer un peu, les jambes engourdies par une longue position repliée, je m'y prends mal et chavire dans 50 centimètres d'eau. La surface du fleuve est trop chahutée pour pouvoir «lire» le chemin à suivre, repérer les hauts-fonds. Je m'échoue à plusieurs reprises et dois descendre du bateau et le tirer jusqu'à ce que je retrouve un peu de profondeur. Je comprends qu'avec ces rafales et cette orientation les gabarres pouvaient sans peine remonter le fleuve, même avec un fort courant. De Nantes à Orléans, les voiles se gonflaient aux vents d'ouest le plus souvent bien établis. Ainsi, portés par le courant à la descente et poussés par le noroît – que l'on appelle ici la «galerne» – à la remontée, les marins faisaient route avec les éléments.

À Beaugency (je ne peux m'empêcher de fredonner l'air célèbre «Que reste-t-il à ce dauphin si gentil, Orléans, Beaugency, Notre-Dame de Cléry, Vendôme, Vendôme…»), je m'arrête, exténué, pour déjeuner dans un restaurant. Je suis frigorifié, le moral en dessous de la ligne de flottaison, les muscles douloureux, le souffle court. Je téléphone à Emmanuelle pour remettre mon arrivée au lendemain.

Après m'être restauré, j'ai repris quelques forces. Mon petit lutin ricaneur ironise et ce mauvais conseiller me susurre: «Non mais, ce n'est pas ce vent de rien du tout qui va t'empêcher d'aller là où tu veux.» Je m'y laisse prendre. Nouveau coup de fil à Emmanuelle pour lui dire que, finalement… J'ai en outre remarqué que le vent tombe souvent en fin d'après-midi, en même temps, hélas, que la pluie. J'espère qu'il en sera ainsi. Erreur. Au contraire, il forcit. Lorsque je parviens enfin à Saint-Dyé, j'ai pagayé près de onze heures d'affilée. Je suis à bout de forces. J'amarre Canard sous les arbres, appelle mon hôtesse pour lui signaler mon arrivée et m'assieds sur le muret de la levée qui protège les premières habitations pour reprendre quelque énergie.

De superbes maisons de pierre forment un front le long du fleuve et de petites rues serpentent sur la colline. La ville et son port ont été fortifiés depuis le XIIIᵉ siècle. Saint-Dyé a connu une ère de gloire et de prospérité passagère grâce à la construction du château de Chambord. Arrivaient au port le bois, la pierre et tous les autres matériaux nécessaires au gigantesque chantier. L'église, aujourd'hui surdimensionnée pour ce gros bourg de mille habitants, témoigne de ce passé glorieux, tout comme les douze auberges donnent une idée de l'importance du rayonnement économique. Ville de pèlerinage, ville fortifiée, Saint-Dyé a accueilli des voyageurs célèbres, comme d'Artagnan. Le malheureux, moqué par M. de Rosnay parce qu'il montait une pauvre haridelle, fut de surcroît rossé par les gens du seigneur et jeté pour deux mois en prison. Un changement, en 1773 : on ouvre la route de Paris sur la rive droite. Sur la rive gauche, Saint-Dyé va s'endormir doucement, perdre une bonne partie de sa population. C'en est fini de sa prospérité.

Lorsque Emmanuelle me rejoint au port, je ne peux cacher ma surprise. C'est une toute jeune fille qui vient vers moi, une petite brune aux cheveux courts, une frange en casquette. Elle a un sourire de bienvenue qui, après ma journée de galérien, me met du baume à l'âme. Comme je m'étonne de sa jeunesse, elle sourit. En réalité, elle a 36 ans. Quand elle achète un billet de train, me dit-elle, on lui demande souvent sa carte jeune. Mon hôtesse de ce soir est musicienne, clarinettiste et saxophoniste. Elle est aussi professeur de musique. Elle vient d'organiser pour ses élèves un stage qui s'est terminé par un concert donné au village. Nous remontons des rues bordées de maisons anciennes, envahies de fleurs et de vigne vierge. Emmanuelle a tenu à porter un de mes lourds bagages et se montre plus solide que sa silhouette pourrait le laisser croire. Sa demeure, une construction d'un étage, donne sur une petite cour plantée de quelques légumes et de fleurs. Cette gamine qui n'en est pas une est une vraie baroudeuse. Elle quitte très jeune sa famille pour aller étudier la musique à Boston, réside trois ans à New York, s'en va jouer pour les touristes sur des paquebots dans les Caraïbes et séjourne presque un an à Tokyo. Elle en profite pour améliorer son judo et passe sa ceinture noire. De retour à Paris, elle prend conscience que, si elle adore voyager, il lui faut un point fixe, de préférence pas en ville. Elle écume la région en bus, le village lui plaît et lorsqu'elle tombe sur cette maison à vendre, elle sait qu'elle a trouvé son nid. Le logis est en mauvais état? Qu'à cela ne tienne, elle se retrousse les manches, le répare et l'aménage elle-même.

Comment a-t-elle été amenée à me proposer l'hospitalité? «Je trouve l'idée intéressante», dit-elle. Rien d'étonnant en effet à ce que cette bourlingueuse s'intéresse à un voyageur de passage. Une de ses amies, Ariane Wilson, musicienne elle aussi, grande voyageuse et écrivaine [1],

1. Ariane Wilson, *Un violoncelle sur le toit du monde* et *Le Pèlerinage des 88 temples*, Presses de la Renaissance, Paris, respectivement 2002 et 2006.

lui a parlé de mon expédition ligérienne. Nous parlons de la Loire. Emmanuelle s'y promène souvent, s'émerveillant du nombre d'oiseaux qui nichent sur ses berges et bien sûr de cette luminosité si particulière au fleuve. Les couchers de soleil sont chaque soir un spectacle qui fait écho à la splendeur de l'aube, quand les rayons du levant ou du couchant, bien alignés dans le prolongement du courant, le prennent en enfilade en faisant miroiter les feuilles des peupliers. Cette lumière qui a inspiré les plus grands peintres à l'instar de Turner est probablement due à l'orientation, très exactement est-ouest, de la Loire. Il y a d'abord l'éclairage du matin. Lorsque les premiers rayons frappent l'eau, s'élève comme une promesse de bonheur. Une vapeur presque invisible filtre les rayons rasants, la clarté, d'évanescente, devient palpable, c'est une buée, un encens offert par le fleuve au soleil levant. Et puis toute la vallée s'embrase, chasse les dernières ombres et rutile. Bizarrement, je tourne le dos à la lumière, et pourtant je me fais l'effet d'aller au-devant d'elle, de glisser vers le jour alors que c'est lui qui me pousse.

La splendeur du soir est bien différente. Le soleil se couche exactement dans l'axe de la Loire. Je le vois décliner jusqu'à ce qu'il devienne énorme et rouge, gonflé d'orgueil d'avoir, une fois de plus, dominé nos existences. Tandis qu'il s'abaisse encore, son éclat irise les haies des berges, rend chaque feuille translucide, fait de chaque arbre un abat-jour cachant les ombres qui s'immiscent, pendant que le disque écarlate embrase l'eau d'un incendie dont chaque vaguelette est une flammèche. Quand les nuages prétendent jeter un rideau sur le spectacle, celui-ci n'est pas moins beau. Il s'offre aussi, mais dans des tons mineurs, pastel, comme s'il ne voulait pas trop déranger, pas trop bousculer l'âme du spectateur. Durant tout mon parcours, matin et soir, j'assisterai, fasciné, à cette admirable féerie.

***

Depuis le début du voyage, j'ai décidé de ne jamais me presser pour quitter mes hôtes. Il est 10 h 30 lorsque je remonte dans le canot devant le front de Loire de Saint-Dyé et adresse un dernier signe d'au revoir à Emmanuelle. Cette musicienne de talent vient d'être choisie pour jouer dans l'orchestre qui va accompagner la tournée en France et à l'étranger de la chanteuse Patricia Kaas. C'est pour elle près d'un an de travail. Jolie perspective pour cette intermittente du spectacle.

Le vent s'est de nouveau levé et il me faut encore et toujours me battre contre les rafales qui déplaisent souverainement à Canard. Tout en bataillant, je suis envahi d'un bonheur rare. Je mesure à quel point toutes ces personnes, ces tables et ces portes grandes ouvertes, ces amitiés neuves, fugaces et pourtant profondes me touchent, me nourrissent, me comblent. Qu'ai-je donc fait à dame Providence pour qu'elle me ménage d'aussi belles rencontres? Quel extraordinaire capital de chaleur humaine, de générosité, d'ouverture suis-je en train d'amasser! Je vis un rêve éveillé. Une énergie neuve me pénètre. Elle ne résulte pas seulement des muscles de mes épaules qui grossissent à vue d'œil, résultat du régime que je leur impose. Non, ce qui me fait chanter dans les bourrasques, c'est la joie partagée avec ces femmes et ces hommes qui en m'offrant l'hospitalité ont compris, mieux que moi sans doute, que la seule valeur qui vaille, la seule richesse qui ne sera jamais cotée en Bourse car elle est inestimable, c'est la relation humaine, l'ouverture à l'autre, le partage, d'un verre de vin ou d'un morceau de pain, l'amitié offerte sans contrepartie. Au verre de vin festif s'ajoute le plaisir de la découverte. Même si je ne suis pas un grand spécialiste, je goûte chaque jour ou presque un nectar différent. C'est en quelque sorte une route des vins que je décline depuis le Gerbier.

À bien y réfléchir, me voilà en train de faire une entrée heureuse dans la «soixante-dizaine». Quelle est cette jeunesse qui me nourrit, me donne énergie et optimisme? J'avais, à la soixantaine, affronté un moment de panique à l'idée d'être en «retraite», un mot que je n'aime guère. Depuis dix ans, avec une chance inouïe, j'ai vécu plus fort que durant toute ma vie «active». Et j'en ai tiré un ouvrage afin de faire partager ces années de bonheur d'un retraité hyperactif [1]. Ne suis-je pas en train d'écrire la suite qui s'appellerait *La vie est formidable à 70 ans*? En attendant, deux coups de pagaie à droite, dérapage, deux coups de pagaie à gauche, redressage, le cœur débordant d'énergie, je rigole et déclame au milieu du fleuve, mes paroles emportées par le vent, la voix secouée par les clapots. C'est Victor Hugo qui m'accompagne ce matin-là: «Lorsque avec ses enfants vêtus de peaux de bêtes,/Échevelé, livide au milieu des tempêtes,/Caïn se fut enfui de devant Jéhovah…» Vivent l'amitié et la poésie et merde au mauvais temps. Et puis, étant presque chauve, je ne risque pas d'être échevelé.

Quelques kilomètres avant Blois, je remarque un ancien pont qualifié de «romain». Il devait être aménagé en promenade, mais les années passent et les travaux n'ont toujours pas commencé. Trois des quatre piles restées debout se

1. *La vie commence à 60 ans*, Phébus, Paris, 2008.

dressent vers le ciel. Un sapin pousse sur l'une d'elles. On a construit un petit barrage pour faire une retenue d'eau, une minibase nautique avec un grand camping aménagé sur la rive. C'est là que j'ai rendez-vous avec Marie-Ange et Marc Chaurin, la tante et l'oncle de ma grande amie Sofy, qui se sont proposé de m'accueillir dans leur ferme à Saint-Denis-sur-Loire. Nous venons de basculer d'août à septembre. D'hier à aujourd'hui, un monde différent.

Ce matin, je m'étais arrêté dans un autre camping pour remplir ma gourde. Un homme seul à l'accent hollandais qui sirotait un thé, assis devant la caravane accrochée à sa voiture, m'avait expliqué : « Je suis le gardien. Je pars demain mais ne suis pas pressé et je laisse les derniers vacanciers rentrer. » Tous les bâtiments étaient fermés. J'avais pris de l'eau à un tuyau d'arrosage qui, lui, restait branché. Les W.C. eux aussi bouclés, je confiai à un vieux chêne une envie pressante. Pour ces urgences, le statut du pagayeur oblige à s'arrêter sur les rives désertes, la seule difficulté consistant à trouver un point d'abordage.

La tristesse a envahi cet immense camping de Blois. À l'exception de deux ou trois caravanes, l'endroit est vide, glauque comme un lendemain de fête. Encore grouillant de touristes insouciants voici deux jours, aujourd'hui déserté, il est empreint d'une nostalgie qui me rend cafardeux. Mais je plaisante bientôt avec la gardienne du lieu, en attendant que Marc vienne me récupérer. C'est une femme pleine d'humour, originaire des Alpes bavaroises. Elle parle un excellent français avec un drôle d'accent teuton. Quand je récupérerai mon bateau j'aurai, m'annonce-t-elle, sans doute affaire à sa fille qui travaille à mi-temps avec elle, un emploi familial en quelque sorte.

Marc vient me chercher en s'excusant de l'état de son auto qui roule plus souvent dans les champs que dans les

rues. La terre rapportée sous ses bottes tapisse le plancher, et ma fibre de fils de paysan se réjouit de ces retrou-
vailles avec la glèbe. Mon propre véhicule est probablement
aussi sale que le sien, tant je prends les voitures pour ce
qu'elles sont, un moyen de déplacement sans plus. Il me
dépose en ville. Je visite Blois et m'offre un café à une terrasse. Le temps est encore frisquet. La météo du journal
local promet de la pluie et encore de la pluie ainsi que du
froid. J'ai intérêt à bien recharger mes batteries. La dépression n'en finit pas de se combler et le vent sera encore au
rendez-vous demain.

Nous dînons dehors. Hervé, le frère de Marie-Ange,
un professeur, s'est joint à nous. Marc est un homme qui,
d'expérience, sait que le temps compte, qu'il ne faut pas
le bousculer. Sur ses 200 hectares, il cultive des céréales
mais surtout, et c'est plus rare, des graines pour une entreprise hollandaise. J'ai des notions d'agriculture élémen-
taires : chaque cultivateur sème des graines, puis six, huit,
neuf mois plus tard récolte le grain ou les tubercules. Marc,
lui, attend un an. Il ne s'intéresse pas aux oignons ou
aux betteraves qu'il a plantés mais aux graines qu'ils pro-
duisent. Son travail est très technique. Il doit obtenir des
semences calibrées et, si possible, de bonne qualité car
seules les meilleures lui seront payées par l'industriel qui
passe commande. Ce dernier mettra les graines en sachet
et les commercialisera.

Le plus surprenant est la fertilisation de sa production.
Lorsque les plantes fleurissent, il faut assurer leur polli-
nisation. Difficile de laisser faire la seule nature qui est,
depuis l'éternité, l'alliée du paysan. Les abeilles, décimées
par toutes sortes de traitements chimiques et diverses mala-
dies, ne sont plus assez nombreuses pour assurer un tel
travail. Alors Marc en loue. Une société spécialisée installe

soixante-dix ruches au milieu des betteraves et des oignons en fleur puis vient les rechercher deux ou trois semaines plus tard. L'opération est coûteuse, et je gage que le loueur d'abeilles gagne ainsi plus d'argent qu'en produisant du miel. Mais sans cette main-d'œuvre immigrée et occasionnelle, la récolte serait trop pauvre.

Marie-Ange a aménagé une partie du vaste bâtiment en maison d'hôte afin de diversifier leurs revenus. Ce choix n'est pas tout à fait anodin : pour faire ce métier, il faut avoir été nourri au lait de l'hospitalité. C'est le cas pour Marie-Ange et Marc qui, à l'évidence, aiment la relation à l'autre et les rencontres. Compte tenu de leurs obligations professionnelles, il ne leur est pas facile de s'échapper. Entre les semailles, les récoltes et les vacances, il est toujours urgent d'attendre. Mes hôtes ne s'en plaignent pas et trouvent chaque année le temps d'aller faire une ou deux escapades ici ou là. Et puis, s'ils ne peuvent facilement parcourir le vaste monde, le vaste monde vient à eux. Sur le planisphère qui occupe tout un pan du mur de leur grande salle à manger, des centaines de petites aiguilles rouges figurent des visiteurs lointains. Tous les continents comptent des points rouges, sauf l'Australie. Mais rien ne presse.

VI

TOURAINE

J'ai connu Thomas Bastenti, un voyageur qui fait en ce moment claquer ses semelles en Amérique du Sud, à l'occasion d'une marche organisée par Seuil en Espagne. Il m'a suggéré d'aller voir son oncle Georges à Blois. Rendez-vous est pris devant le château. Nous n'aurons pas le temps de faire la visite si je veux rallier Nantes dans les temps. Et puis, moi, les visites guidées... Si je pouvais passer une semaine au château à écouter battre son pouls, je ne dis pas, mais...

Georges travaille dans la rénovation de maisons anciennes. Nadine, son épouse, est sophrologue et s'investit dans un domaine qui m'intéresse : l'écoute de gens en difficulté dans des «zones sensibles», c'est ainsi que l'on nomme les quartiers défavorisés. Le nombre de personnes qui vivent dans la ZUP de Blois représente presque la moitié de la population de la ville. ZUP veut dire «zone à urbaniser en priorité». Question de vocabulaire, mais il faut bien reconnaître que le mot «priorité» a pris le pas sur «urbanisme» et que cette énorme ZUP a été une erreur monumentale, lourde de conséquences sociales. Il en résulte un de ces ghettos qui seront la honte de notre époque. Nous prenons l'apéritif dans le jardin de la maison aménagée avec beaucoup de goût à partir de trois constructions différentes. J'ai remarqué qu'un grand nombre des personnes qui me reçoivent ont bâti leur logis dans le même esprit que moi ma ferme normande. Y a-t-il une relation entre le sens de l'hospitalité et le bonheur de construire sa demeure et de la partager? Je ne suis pas loin de le croire. Tous ces rénovateurs, ces bricoleurs communient dans la religion de la porte ouverte. Pour ma part, j'adore que ma maison soit pleine et m'évertue, en quittant chacun de mes hôtes, à leur répéter que je les attends chez moi.

L'apéritif se prolonge le temps de patienter jusqu'à l'arrivée de Roland Adam et de son épouse Gaétane. Roland, c'est le grand-père, il a 75 ans et une énergie peu commune. Il a lu mes livres et bassiné toute la famille en leur racontant au jour le jour mon périple sur la route de la Soie. Il n'est pas question que je passe à Blois sans qu'il vienne me serrer la main même s'il rentre tout juste de voyage. Aussi à peine a-t-il posé ses valises qu'il appelle de la région parisienne où il habite : « J'arrive ! » La conversation roule sur le travail de Nadine. La société française se fracture, se ghettoïse. La peur de l'autre s'installe doucement, relayée ou stimulée par une information qui, sans doute pour enrayer les pertes d'audience, insiste de plus en plus sur la « fracture sociale » que l'on ne cesse d'évoquer sans jamais rien faire pour la combattre ou l'éradiquer.

Daniel Bellier qui exerce le beau métier de vigneron vient me récupérer en voiture pour m'amener dans sa maison de Vineuil, à quelques kilomètres de Blois. Le vent s'est un peu apaisé et j'envisage avec optimisme de reprendre la navigation le lendemain. Mes bonnes dispositions sont peut-être dues au fait qu'à Blois, comme j'ai successivement rencontré trois familles, il s'est passé vingt-quatre heures sans que je donne un seul coup de pagaie. Un repos forcé, en quelque sorte, qui m'a redonné de l'énergie.

Mon hôte produit du cheverny blanc, rosé et rouge, sur la commune de Vineuil la bien nommée puisque, m'explique-t-il, ce nom est la déformation d'un mot latin qui veut dire «vin». La vieille maison a été réaménagée mais garde son parfum de demeure paysanne. Françoise, sa femme, m'accueille dans une sorte de grand préau qui donne le sentiment bizarre d'être à la fois dehors et dedans. Pas facile de s'enfermer pour un couple qui a passé sa vie dans les vignes. Ils ont trouvé, avec cette construction, un compromis qui leur ressemble : c'est déjà la maison car il y a quelques meubles, c'est encore l'extérieur car il n'existe pas de mur côté jardin et les plantes abondent.

Sur le chemin, Daniel fait un détour pour me montrer une ancienne voie romaine dont les ponts sont envahis par les boues et les moellons dégradés. La municipalité les remet en état durant les vacances avec des jeunes de la région. Né ici même voici un peu plus de soixante ans, Daniel est un passionné, intarissable sur deux sujets : la vigne et l'urbanisme. Élu communal pendant trente années, il s'inquiète de l'évolution de la politique actuelle. Les constructions mangent la terre. «Il y avait cinquante-trois agriculteurs quand je suis parti au régiment dans les années 1960. Ils ne sont plus que cinq aujourd'hui, tous obsédés par le manque de terre.»

Le climat n'est pas moins inquiétant : autrefois, les vendanges se faisaient vers le 15 octobre, maintenant le raisin est mûr le 15 septembre. En outre, on a supprimé un barrage sur la Loire et l'eau de la nappe phréatique a baissé d'un mètre. Mais le plus alarmant pour l'avenir, ce sont les forages. Une quinzaine ont déjà eu lieu, dont celui qui alimente Blois et produit 700 m³ par heure. «À de telles profondeurs, c'est de l'eau qui est tombée voilà un millénaire», se désole le vieux vigneron. Tout ça finira mal. C'est un héritage écologique un peu angoissant que Daniel laisse en cédant la vigne à son fils. Il en est conscient. Désormais à la retraite, mais une retraite active, il donne un coup de main lors des gros travaux, les vendanges et la mise en bouteille. Pour le reste, il passe son temps dans ses trois jardins potagers. Avec quelques poules, Françoise et lui pourraient presque vivre en autarcie.

Durant le dîner, nous parlons vin bien entendu et nous amusons à faire la liste des appellations des vignobles situés sur les flancs du fleuve et à nommer toutes les AOC (appellation d'origine contrôlée) qui bordent la Loire. La liste est longue et goûtue : côtes-du-roannais, coteaux-du-giennois, pouilly, sancerre, orléanais, cheverny, vouvray, montlouis, saumur, chinon, anjou, coteaux-du-layon, muscadet, gros-plant… On a beau l'avoir solide, la tête vous tourne un peu. Avant de passer à table, Daniel m'a fait visiter l'exploitation où son fils et sa belle-fille s'activent. Pour produire vingt mille bouteilles par an, il ne faut pas chômer. Sa fille, qui habite à trois pas de l'aïeul, est peintre. Je n'ai pas vu ses œuvres, mais si elle est paysagiste, la région est un beau sujet. Du fond de mon canoë, je n'en vois pas toutes les beautés, mais des incursions comme celle-ci me font regretter de n'avoir pas plus de temps pour jouer les Vikings. Je me serais bien offert quelques richesses plus éloignées du fleuve comme le château de Cheverny, qui, me le rappelle Daniel, amputé de ses deux ailes, a servi de modèle à Hergé pour Moulinsart, la demeure du capitaine Haddock.

Le 3 septembre au matin, Daniel me dépose au camping où j'ai abandonné Canard l'avant-veille. Alors que j'espérais du beau temps, il a plu toute la nuit et c'est sous une averse que je passe saluer la fille de la gardienne, nettement moins chaleureuse que sa mère. Encouragés par le départ des vacanciers, les lapins qui pullulent dans le talus proche de Canard ont creusé un nouveau terrier dans le sable, à proximité du piquet de fer où j'ai accroché le bateau. Ils ont recouvert la chaîne d'amarrage de ce sable fin et blanc de Loire dont l'extraction est désormais réglementée après une surexploitation désastreuse. Je n'ai pas pagayé une heure sous la pluie battante que mon imperméable est trempé dehors comme dedans. Il fait particulièrement frais. Vers 10 heures, l'habituel vent d'ouest se lève, soufflant sur le nez de Canard, et m'oblige à forcer sur la pagaie. Je ne m'en plains pas trop car c'est le seul moyen de lutter contre le refroidissement. Ma circulation n'est pas bonne et, avec le froid, mes mains, mes oreilles et mes pieds s'engourdissent, deviennent douloureux. Pendant mon ascension du mont Blanc, sans mes amis Jean-Pierre et Claude qui m'ont réchauffé les doigts dans leurs anoraks, j'aurais sans doute eu les mains gelées. Gamin, j'allais à l'école en galoches ou en sabots et je passais tous les hivers à souffrir d'engelures. Elles s'infectaient, les chaussettes collaient à la chair mise à vif et je devais mettre des tissus appelés «chaussettes russes», que le soir mes sœurs ou ma mère m'enlevaient précautionneusement.

Je n'ai plus d'engelures et j'ai de bonnes chaussures en hiver. Mais sur le canoë, pas question de mettre de gants ou de chaussettes de laine, même si décembre arrive en août. Peu à peu, mes mains et mes pieds virent au bleu, comme si toute ma circulation s'était arrêtée, comme si mon sang se figeait. La pluie est glaciale. Onzain, mon étape du jour, est encore loin et mes cartes ne signalent aucune ville ou aucun village au bord du fleuve entre Blois et le pont de Chaumont qui, ce soir, sera mon repère. Je devrai me passer de manger malgré la faim qui, très tôt, me torture. Le froid bouffe mes calories. Vers 13 heures, je suis à bout de forces et de chaleur, le moral au plus bas, et mes pieds sont si congelés qu'ils me font mal.

C'est alors qu'un miracle se produit. J'aperçois, au détour d'un méandre, sur la rive droite, le pignon d'une maison sur laquelle est peint ce mot magique : « Restaurant. » Aussi vite que me le permettent mes membres ankylosés et la tremblote qui me secoue, j'amarre Canard à une branche. J'abandonne mes sacs à la garde du mauvais temps, emportant seulement le gros bidon rempli des affaires les plus précieuses. J'escalade le talus de ronces et d'orties, traverse la route. Par chance, c'est ouvert. Je pénètre dans le restaurant, un routier devant lequel sont rangées des dizaines de poids lourds.

Mon entrée ferait une jolie séquence de comédie. Quand j'y repense, je ne peux m'empêcher de sourire. Imaginez la scène : une grande pièce où toutes les tables sont occupées par des types aux biceps tatoués, à la barbe de trois jours. On ne s'entend plus tant ces gens qui passent leurs journées seuls dans leur camion souffrent de la solitude du chauffeur de fond et se rattrapent en parlant fort, comme si leur interlocuteur était sourd ou comme si, pour compenser le bruit de leur moteur, ils avaient besoin d'un niveau sonore élevé. Tu as bien sûr, lecteur, vu dix fois ces scènes de western où, dans un saloon enfumé, le tueur professionnel pousse les portes et un silence soudain annonce que la mort vient d'entrer. C'est un peu ce qui se produit au restaurant *La Gariguette*, cinq secondes après mon irruption dans la salle.

Ce n'est pas la peur mais la surprise qui provoque le

silence tandis qu'une cinquantaine de regards se braquent sur moi. Il est vrai que le spectacle doit valoir la peine. Je suis recouvert d'un vaste imperméable bleu fripé qui me recouvre jusqu'aux mollets, assorti d'une capuche dissimulant partiellement mon visage tanné façon vieux cuivre. Pour éviter le choc des gouttes sur mon crâne chauve, j'y ai ajouté mon chapeau complètement trempé qui pend lamentablement. Mes lunettes, glacées comme le reste, se sont couvertes de buée en entrant dans la chaleur de la salle. À l'autre extrémité, deux pieds bleus chaussés de sandales ruissellent, formant une petite mare. Je serre contre moi, tout en cherchant vainement à dominer mon tremblement, mon bidon de plastique blanc à couvercle bleu. Derrière son bar, la patronne interrompt la confection d'une entrée, écarquille les yeux et résume la question que tout le monde se pose :

– Ben ! d'où vous sortez, vous ?

– De la Loire, dis-je en tremblotant. De mon canoë. J'ai froid et j'ai faim, alors je voudrais bien manger.

Marie-Thérèse, c'est son nom, me regarde plus attentivement, marque un infime silence puis se tourne vers une femme plus âgée qui prépare une demi-douzaine de cafés dont elle a aligné les tasses sur le bar.

– Maman, tu emmènes ce monsieur en haut, tu lui donnes une serviette et tu lui montres la douche.

Je pose mon bidon et suis la maman comme un petit enfant, essayant toujours de réprimer, sans succès, le tremblement qui m'agite, tandis que le grondement des conversations reprend. L'eau brûlante ne parvient que partiellement à me réchauffer. Pourtant je me place bien sous la pomme de la douche, veillant à ce que chaque centimètre de peau reçoive le jet bienfaisant. C'est seulement après m'être frictionné énergiquement que je cesse de ressembler à un parkinsonien. En bas, Marie-Thérèse a installé mon couvert près d'une fenêtre. Je ne suis pas mécontent d'avoir retrouvé un anonymat qui me va mieux et, débarrassé de l'imperméable, revêtu du pull que je garde toujours au sec dans le bidon, je me fonds dans la foule de la grande salle.

Tout en déjeunant, j'observe Marie-Thérèse qui se meut dans ce monde d'hommes avec une assurance tranquille. Ce petit bout de femme, au visage un peu rond orné de fossettes, au verbe haut, connaît par leur prénom les trois quarts des hommes présents, routiers de passage et ouvriers en déplacement. Il règne là plus qu'un rapport commercial entre clients et fournisseur, un parfum de camaraderie, voire d'amitié dont elle est l'initiatrice. La patronne, à l'évidence, adore son métier et le fait bien. Un gratin de courgettes et un plat de basses côtes arrosés d'un quart de cheverny plus tard, je vais déjà mieux. Mon nez coule, mais un bout de fromage, une île flottante et un café me remettent en état de marche ou plutôt de navigation. Mes doigts qui étaient blancs et insensibles ont repris une jolie couleur chair. Je recommence à me plaire. Je ne suis pas trop pressé d'affronter le sale temps. Alors je traîne, mets mes notes à jour…

J'échange deux mots avec Marie-Thérèse. Elle a retrouvé un peu de temps libre car une bonne partie des clients est repartie, qui à sa truelle, qui à son volant. Elle s'inquiète de ma santé et me questionne sur mon voyage. Il doit sans doute paraître bizarre à cette femme qui a la Loire sous les yeux toute la journée, et dont les clients se déplacent uniquement en voiture ou en camion. Elle m'apprend que la commune où est situé son établissement s'appelle Chouzy-sur-Cisse. Elle s'assied ensuite à une table voisine où cinq gros bras prennent le café et leur raconte ses vacances. Elle a rouvert le restaurant il y a seulement trois jours. J'ai eu chaud, dans tous les sens du terme. Sans elle, je ne sais pas dans quel état j'aurais terminé la journée. Quand je la remercie chaleureusement, elle semble trouver ça un peu déplacé. C'est normal, non, d'offrir une douche à un client? Je l'embrasserais si j'osais.

***

Dehors, il fait toujours aussi froid, aussi venteux, aussi pluvieux. J'écope le fond du bateau et repars. Très vite, je suis aussi glacé qu'avant le déjeuner. Je force comme un fou à coups de pagaie rageurs contre les rafales. Mes pieds sont de nouveau gelés. Je découvre tout à coup que l'eau du fleuve est plus chaude que celle du ciel. Alors je passe mes jambes de chaque côté du canoë et les trempe dans la Loire, pour gagner quelques degrés. Je dois avoir une allure curieuse, une position loufoque et cela me gêne un peu pour pagayer, mais je n'en ai cure.

Et l'on nous parle de réchauffement climatique? Aux pôles, sûrement. En ce mois d'août 2008 sur la Loire, c'est de dérèglement climatique que l'on devrait parler. La météo est folle. Il me revient à l'esprit ces bulletins qui annoncent qu'il fait meilleur au sud de la Loire qu'au nord. Pour ne pas perdre totalement le sens de l'humour, je dirige Canard vers la rive sud. Je dois bien constater que les météorologistes disent n'importe quoi : il y fait aussi glacial que sur la rive nord.

Après des heures d'effort et de froid, le pont de Chaumont-sur-Loire m'apparaît comme un sauveur. Sans doute est-il assez ordinaire mais il n'est pas près de sortir de ma mémoire. Juste après l'ouvrage, des travaux sont en

cours pour reconstituer les berges de la rive droite qui ont
dû être mises à mal par les dernières crues. Des camions
ont déchargé des tonnes de pierres blanches mélangées à de
la terre que les pluies ont largement délayée. Cette gadoue
colle à mes sandales et je patine un peu en sortant Canard
de l'eau. Je parviens, au prix de quelques dérapages plus
ou moins contrôlés, à le tirer jusqu'à un mur de protection.
Un peu plus loin, un escalier permet de grimper jusqu'au
pont. La première marche est à un mètre cinquante du
sol. En période habituelle, l'eau est sans doute à ce niveau,
mais à l'étiage, bien que de bonnes âmes aient entassé des
cailloux au pied du mur pour en faciliter l'accès, il me faut
faire un peu d'équilibre pour l'atteindre. Je juche le bidon
et les deux sacs sur les premières marches et me hisse sur
l'escalier. J'ai si froid que je monte mes bagages en trois
voyages. Je dois bouger pour rétablir ma circulation san-
guine quelque peu congelée. De toute manière, je tremble
de nouveau tellement que je serais incapable de les porter
tous en une seule fois.

À l'entrée du pont, sur un terre-plein, une sculpture
représente des vendangeurs et leur muse entourés d'une
vraie vigne. C'est de là que j'appelle Bénédicte Flatet,
une amie d'Emmanuelle qui m'avait reçu à Saint-Dyé.
Elle va m'accueillir à Onzain. J'ai son adresse, mais pas
de plan du village, et l'endroit est désert.

– Comment aller chez vous ?
– Ne bougez pas, j'arrive.

J'ai deux visites à faire de part et d'autre du pont de
Chaumont. Sur la rive droite, la femme que j'attends, sur
la rive gauche, Joël Tarrida et Brigitte. Économe de mon
temps, je vais essayer de les voir tous d'ici demain matin.
Je me sens mal à l'aise dans ce rôle incongru de sprinter,
contraire à l'esprit du voyage que je fais. Mais je dois être

impérativement à Paris le 15 septembre et nous sommes déjà le 3. J'ai beau jouer les hommes libres, les contingences me ligotent. Je m'apprête à téléphoner à Joël quand une voiture rouge, genre utilitaire, arrive en trombe et freine sec devant la sculpture.

Derrière le pare-brise zébré par les essuie-glaces qui s'affolent, un minois souriant, des cheveux courts et deux yeux bleus. Bénédicte s'extrait de sa voiture. Bien que fort jeune, elle a les cheveux poivre et sel. J'aime les femmes qui acceptent de vieillir et ne cachent pas leurs cheveux blancs sous des teintures. Mon hôtesse empoigne mes bagages qu'elle fourre dans la bagnole et m'enlève avec une belle autorité. En pleine régression, recroquevillé comme un bébé en position fœtale, je me laisse conduire. Cinq minutes et nous voici devant un pavillon flanqué d'une véranda, entouré par un jardin d'agrément et, je le verrai plus tard, par un petit potager que Bénédicte cultive.

Pour essayer de dominer mes claquements de dents, j'enfile un T-shirt sec et mon pull, mais il en faut plus pour faire remonter ma température intérieure. Je suis gelé jusqu'à l'os. Bénédicte me fait couler un bain. Là encore, je ne réagis pas tant je suis congelé du cerveau comme du corps. J'ai horreur des bains. J'ai l'impression de flotter dans ma crasse. Le dernier date d'environ cinquante ans. C'était à Londres, dans une *boarding house*, une de ces maisons pour étudiants ou jeunes travailleurs fauchés, composées uniquement de chambres, d'une cuisine et d'une salle de bains collective. Pour obtenir de l'eau chaude, il fallait glisser des pièces dans une fente. Débutant, j'avais mis trop de shillings. La baignoire s'était remplie d'une eau bouillante qui m'aurait transformé en homard. J'avais donc ouvert la bonde tout en faisant couler l'eau froide, gratuite. Je suis nul en calcul (je n'ai jamais réussi l'exercice des deux trains qui se croisent entre Marseille et Paris) et, lorsque j'ai refermé la bonde, l'eau froide avait pris le dessus. Résultat, un bain presque froid après m'être ruiné. L'expérience m'a dégoûté des baignoires pour le reste de mon existence. Quand nous avons acheté, ma femme et moi, un petit appartement à Paris, mon premier geste a été de descendre sur le trottoir cet objet qui mangeait la moitié de la surface de la salle de bains et j'ai installé une douche à sa place.

Dans sa grande baignoire, Bénédicte a jeté des sels. Un vrai luxe de fille. Je me déshabille pendant que l'eau qui continue à couler mousse joliment. J'y glisse prudemment un pied, elle me paraît bouillante. Ma peau est tellement froide que je dois attendre la disparition du choc thermique. Mais entre la torture du froid et celle du chaud, j'ai choisi. Je poursuis, centimètre après centimètre, mon naufrage volontaire dans cet enfer délicieux jusqu'à ce que l'eau m'arrive au menton. Je m'allonge et mes membres se détendent. Je ferme les yeux. C'est du bonheur pur qui entre dans chacun de mes pores. Je cesse enfin de trembler, mes muscles se relâchent. Une véritable jouissance gagne tout mon corps. Je m'endors, quelques minutes sans doute, avant de me réveiller ragaillardi. Bénédicte ramasse mes affaires mouillées et les fourre dans son sèche-linge. Je me laisse faire sans rechigner, tant j'ai besoin d'être un peu materné après une aussi dure journée.

Nous nous installons dans la véranda, près d'un pupitre avec des partitions. Un trombone à coulisse gît sur une tablette. Mon hôtesse, charmante, souriante, avec des fossettes (j'adore les fossettes, si émouvantes chez les enfants et chez certaines personnes qui ont le privilège de les garder à vie), m'explique qu'elle est comédienne et chanteuse.

Avec une petite troupe où elle est à la fois actrice, chanteuse et metteur en scène, elle travaille à un spectacle, *Le Chant du Sassoun*, inspiré du folklore arménien. C'est une grande voyageuse et j'avais peu de chances de la trouver au nid. J'en suis d'autant plus content qu'elle m'a sans doute évité une pneumonie.

J'appelle Joël Tarrida pour lui annoncer ma venue en fin d'après-midi.

– Ne bougez pas, j'arrive, me dit-il.

J'ai déjà entendu ça, ce doit être une expression locale, une disposition naturelle à se mettre au service des autres. Bénédicte m'explique qu'elle essaie de dépoussiérer les rituels et l'image convenue de la chanteuse debout près du piano, lorsque Joël fait irruption. C'est un personnage chaleureux, énergique, efficace. Il est à la fois médecin, correspondant du journal régional *La Nouvelle République* et très actif à l'office de tourisme de Chaumont qui prépare une remarquable exposition sur l'écriture. Avec nous, Joël tient non pas un mais deux sujets de reportage. Il nous interviewe, Bénédicte et moi, à tour de rôle, noircissant son carnet de notes. Mon hôtesse fait partie d'un orchestre de copains, le GOD, autrement dit « Grand Orchestre De la casserole ». Le nom indique à lui seul qu'ils ne sont pas très portés à la tristesse, ces musiciens-là.

Joël habite avec Brigitte une jolie longère dont certaines pièces sont ornées de dessins et d'inscriptions. Leur origine remonte à la guerre de 40 quand un homme s'y réfugia pour se cacher. Ne pouvant en sortir sans risquer sa vie, le reclus a utilisé ses loisirs forcés pour inscrire sur les murs des mots, des vers qui l'aidaient à survivre. Une maison hantée par un fantôme bienfaisant, porteur d'espoir. Joël nous invite, Bénédicte et moi, à dîner dans un restaurant sous le château de Chaumont. Encore un amical abus de pouvoir comme celui d'Olivier à Sully-sur-Loire.

Bénédicte a préparé un canapé pour la nuit. J'ai pourtant beaucoup de mal à m'endormir. Dans le noir défilent les visages des femmes qui m'ont ouvert leur porte en grand : Simone, Aline, Emmanuelle, Bénédicte... Dans les couples, la décision revient généralement au sexe faible même si leurs hommes se montrent tout aussi hospitaliers. Plus je connais les hommes et plus j'aime les femmes. Leur optimisme, leur tranquille assurance, leur générosité – elles ont compris depuis longtemps que dans l'échange celui qui donne est le gagnant –, la simplicité et la chaleur de leur accueil, chez elles tout m'étonne et me ravit. Pourquoi, dans cette salle remplie de gaillards tatoués, est-ce une femme, Marie-Thérèse, qui s'est adressée à moi simplement, sans chichis, sans détours, sans cacher sa surprise amusée. Merveilleuses femmes, si pleines d'humanité. «Humanité», quel drôle de mot. Il ressemble un peu trop à «homme» à mon goût. On devrait dire «fémanité». Le bonheur sur cette planète repose (j'ai pu le constater en Iran ou dans certains pays le long de la route de la Soie, y compris dans ceux où on les contraint et les abaisse) sur leur extraordinaire ouverture au monde, leur facilité à mettre de l'humain en toutes choses. Elles n'abandonnent jamais leur capacité d'amour. Mon quart d'heure de philosophie achevé, je plonge et me noie dans un sommeil profond comme un cul de grève.

Au matin, nous discutons de tout et de rien. Bénédicte possède l'art de se mettre au diapason. On s'est tutoyés presque tout de suite, comme de vieux copains et j'ai l'impression que l'on se connaît de toute éternité. J'aimerais poursuivre ces instants, j'aimerais en savoir plus sur cette chanteuse, si éloignée de l'image de la diva, qui joue du trombone à coulisse avec une bande de musiciens facétieux. Mais la Loire m'attend. Je prépare Canard et la quitte à regret en me maudissant d'être si pressé chaque matin sans trouver de remède à ces ruptures douloureuses. Si j'allais au rythme qui me convient, il me faudrait un an pour profiter pleinement du bonheur de ces rencontres.

Le lendemain, je reçois un SMS de Bénédicte : «Ouh lala ! l'affreux temps pour pagayer. J'espère que tu n'es pas sur l'eau.»

J'ai répondu : «Je suis sous l'eau sur l'eau et j'emm... le mauvais temps.»

VII

SAUMUR-CHAMPIGNY

Le bonheur est un sentiment très relatif. Si, ce 4 septembre au matin, je me félicite du ciel plombé et de la température plutôt fraîche, c'est que, contrairement à la veille, le vent est modéré et il ne pleut plus. Je traverse la ville d'Amboise sans m'arrêter. Deux défections dans mon programme : un couple de Pocé-sur-Cisse et Martine Le Coz, prix Renaudot en 2001 pour son roman *Céleste*. Quelques citations de cette auteure qui a le sens de la formule : «L'admiration, dit un personnage, change la proportion entre les hommes, fait de l'un un géant et de l'autre un lilliputien» ou «Un peu de mystère, et l'Espérance clignote». Las, malgré plusieurs appels, Martine Le Coz ne répond pas.

Je passe donc mon chemin d'eau.

Le pont d'Amboise est périlleux. Ses arches, barrées par des épieux enfoncés très près les uns des autres, empêchent Canard de se faufiler. Je fais donc un bref portage et repars un peu contrarié : il est étrange que des ponts destinés à la circulation des piétons et des véhicules aient pour effet de compliquer celle des marins.

À Montlouis, j'aperçois sur la rive mon ami Dominique Gerbaud et Martine, son épouse. Dominique se démène en cherchant le bon angle pour me rendre photogénique. Pauvre naïf! Ce sont les seules personnes que je connaissais avant d'entamer mon périple. Tous les autres, hôtes ou hôtesses, sont soit des «amis d'amis», soit des individus que le hasard a mis sur ma route. Avec Dominique, journaliste comme moi, nous avons une vieille complicité. Le hasard a fait qu'on l'envoie cet été en Chine couvrir les jeux Paralympiques et il a dû faire un saut ici pour prendre quelques affaires avant de partir demain pour Pékin. À deux reprises, Atlanta aux États-Unis et Nagano au Japon, j'ai, moi aussi, couvert ces jeux réservés aux handicapés et j'ai été émerveillé par le courage inouï de ces athlètes. Ils portent véritablement le message de l'olympisme et de l'amateurisme malgré leur handicap, une ou deux jambes en moins, un bras manquant ou atrophié, une cécité... Aussi suis-je stupéfié d'apprendre qu'il sera, pour *La Croix*, le seul journaliste français à couvrir les Paralympiques. En revanche, pour les JO des valides, ceux du fric et de la victoire à tout prix, ils étaient des centaines, peut-être des milliers. Même *L'Équipe*, un journal prétendument sportif, n'envoie personne. Il est des jours où je ne suis pas très fier de la presse française. Ni d'une société qui montre si peu d'intérêt et de mansuétude pour ceux que la vie a frappés.

Dominique, qui travaille maintenant à Paris mais fut rédacteur en chef de *La Nouvelle République* pendant plusieurs années, a transformé un corps de ferme en maison spacieuse et confortable. Avant d'aller dîner chez lui, il m'emmène chez un couple de jeunes viticulteurs, Valérye et Jean-Daniel. C'est une belle histoire d'amour: un jour, alors qu'elle approche de la quarantaine, Valérye laisse tomber les relations publiques de plusieurs compagnies de théâtre. Elle décide de se consacrer à sa passion, le vignoble et le vin. Au cours de sa formation, elle rencontre Jean-Daniel. Sous l'égide de Bacchus, ils s'unissent pour la vie et pour le vin, et créent de toutes pièces une petite exploitation qui fournit vingt-cinq mille bouteilles par an. Ils travaillent d'arrache-pied pour produire un vin biologique, sans chaptalisation ni ajout de levures ou d'enzymes. La période est difficile pour eux. Ils se trouvent dans ce no man's land des entreprises devenues trop grandes pour assurer à deux le boulot et trop petites pour embaucher un employé. Quant aux banques, même si en ce début septembre la crise des *subprimes* n'a pas encore eu de répercussions en France, les financiers se font tirer l'oreille. Le jeune couple s'est endetté pour quinze ans afin d'acheter le matériel qui lui est indispensable. Cultivés et pleins d'humour, ils ont baptisé leur domaine «Les Loges de la folie». Je ne sais si Érasme était amateur de vin, mais s'il a le sens de l'humour, il appréciera. Leur vin met-il la folie en tête? Je vous le dirai plus tard car Dominique m'en a donné une caisse qu'il doit m'apporter un de ces jours en Normandie. J'y compte. Il n'y a pas urgence, comme les vraies amitiés le bon vin vieillit bien. Il faut le regarder longtemps avant de le déguster.

En chemin, nous rendons aussi visite à Marie-Paule et à Claude Bruel. Marie-Paule part le lendemain à l'aube pour marcher en Bretagne avec des amis et nous nous contentons d'une petite parlotte en buvant le verre de l'amitié à la santé de Chantal, notre amie commune.

Pendant le dîner avec Martine et Dominique, la conversation vient sur nos enfants et nos métiers. Dominique prendra sa retraite dans un an et a commencé à travailler sur un projet concernant les jeunes de banlieue. Si seulement un grand nombre de retraités se consacraient à cette tâche, peut-être pourrait-on mettre fin au drame que vivent ces gamins ghettoïsés, ballottés par la vie et incapables, faute de quelques mains tendues, de s'en sortir seuls.

Après leur avoir fait mes adieux, je me rends chez Geneviève Besse, une veuve de 82 ans, qui témoigne d'une énergie et d'une jeunesse d'esprit stupéfiantes. Elle me reçoit dans une ancienne mégisserie acquise avec son mari et rendue confortable au prix de douze ans d'efforts. C'est dans ce vaste atelier encombré de toiles et de dessins que le couple a enseigné durant trente ans à près de trois mille gamins les mystères du dessin et du mariage des couleurs. Le travail de Geneviève se situe à mi-chemin entre la littérature et la peinture : livres qu'elle lit, livres qu'elle illustre, livres qu'elle crée. Elle a réalisé un ouvrage unique destiné au musée La Devinière, la maison mythique de Seuilly où est né Rabelais. C'est là que le poète a situé la célèbre guerre picrocholine. L'artiste, qui a inventé une technique qu'elle appelle « interversion », travaille pour différents musées, expose au Japon et participe volontiers à des œuvres collectives. Elle achève en ce moment un livre produit en neuf exemplaires – trois pour le musée, trois pour l'auteur et trois pour le peintre –, et participe à un projet qui s'inspire des chiffres et sera l'œuvre de douze artistes. Par tirage au sort, elle a hérité du numéro cinq. Les chiens, dit-on, ne font pas des chats : son fils, illustrateur, a lui-même un enfant dessinateur de BD.

Geneviève Besse m'invite à déjeuner dans ses appartements, au troisième étage. Un ascenseur est réservé aux courses et aux amis. Pas à elle qui, malgré ses 82 ans, escalade l'escalier interminable de cette ancienne usine aux hauts plafonds. Dans toutes les pièces, les œuvres sont nombreuses. Après qu'elle m'a avoué qu'elle n'a jamais eu ni le temps ni le goût d'apprendre à cuisiner, nous déjeunons de tomates et d'un poisson cuit au micro-onde. Je suis surpris par sa capacité à s'intéresser à tout ce qui concerne son art et à son indifférence au reste. «Je ne lis pas de romans, dit-elle, je n'ai pas besoin d'une autre vie. Ma vie m'apporte une jouissance qui me suffit.» Cette artiste, totalement dévouée à sa peinture, vit hors du siècle. Je suis ébahi lorsqu'elle m'avoue ignorer si sa maison, où elle habite depuis trente ans, est située sur la rive gauche ou droite de la Loire.

★★★

Je rejoins Michèle et François Bon au bout du pont Wilson que Geneviève appelle le «vieux pont». Ils habitent à Saint-Cyr-sur-Loire, une agglomération totalement imbriquée dans la ville de Tours. Ils ont lu mes livres et je retrouve cette complicité qui unit l'écrivain à ses lecteurs. Dans les foires du livre, dans les librairies, quelle joie de rencontrer des hommes ou des femmes qui, ayant passé des heures avec vous, vous connaissent déjà un peu avant même de vous parler, et, après un long compagnonnage dans les mots, complètent le plaisir de la lecture par la découverte d'un visage et d'une voix. Bien que je m'en défende, il y a sans doute là une caresse agréable pour mon ego. Mais il y a aussi et surtout le plaisir de l'échange, d'une certaine communion, un raccourci d'amitié. Toujours est-il que je ne me lasse pas de rencontrer mes lecteurs, d'aller au-delà de l'écriture.

Avec Michèle et François, je me sens tout de suite en symbiose. L'atmosphère amicale est d'entrée à bonne température. François, un habitué de la navigation en kayak et en canoë, me suggère de reprendre Canard et de le descendre plus près de chez eux. Je décline la proposition. Mon bateau peut bien m'attendre ici. Une erreur vu la suite des événements : si je l'avais écouté, j'aurais évité le chavirage brutal du lendemain, car, lors de notre rencontre, le vent était très faible et j'aurais sans doute sauté sans grand problème la vague sous le pont.

Dans leur maison située très près de la Loire flotte un climat de calme, de liberté où chacun évolue en harmonie. Michèle, à qui cinq maternités n'ont fait perdre ni sa ligne, ni son charme, ni son efficacité, y est pour beaucoup. La musique tient une grande place dans cette demeure et la guitare qui traîne dans le bureau de François n'est manifestement pas là pour le décor. Une partie des enfants a quitté le nid. La jolie Constance, la petite dernière, vient de temps à autre nous tenir compagnie mais, vite fatiguée de ce monde trop sérieux, repart vers le sien, sans doute plus coloré. Je me sens bien dans cette maison, tranquille comme le fleuve à cette heure.

François m'impressionne par la sérénité qui émane de sa personne. Disponible, bienveillant, avec sa voix posée, il me fait penser à un moine tibétain rencontré sur une route chinoise. Bien qu'à l'évidence il croule sous la charge du travail et file de temps à autre gérer une urgence de son bureau, son attention à l'autre est totale. Cet homme respire la bonté, comme si son nom avait déteint sur sa personnalité. Il est talentueux et modeste, sa production littéraire m'impressionne, son intérêt pour le monde ouvrier, pour la musique nous offrirait, si nous en avions le temps, des discussions infinies. Il a mis son talent et sa culture à la disposition de ceux qui ne savent et ne peuvent exprimer leur mal-être, animant des ateliers d'écriture aussi bien dans les prisons que dans les universités et il tient à jour un blog[1] très fréquenté. Le dîner est un véritable festival d'idées. Hugo, leur fils, et Pascal, un de ses amis, se joignent à nous pour un débat sur les banlieues et la délinquance. Je suis subjugué par la maturité de ces deux jeunes gens à peine sortis de l'adolescence. Ouverts, assoiffés de savoir et d'une humanité rare à leur âge, ils sont fanas de sport, mais le pratiquent d'abord comme une méthode d'épanouissement personnel. La «compète» ne les intéresse guère. Après cette soirée – un vrai bain de fraîcheur juvénile et d'harmonie familiale – me reviennent en mémoire d'autres soirées, autrefois, avec ma femme Danièle, mes enfants adolescents et leurs amis, avant que la vie ne frappe si dur. À l'heure de nous séparer, François me dégotte les deux cartes manquantes pour la suite du voyage, m'offre *Les Eaux étroites* de Julien Gracq et me décrit la maison du grand homme devant laquelle je vais passer à Saint-Florent-le-Vieil.

★★★

La matinée est bien avancée et le redoutable pont Wilson où j'ai failli avaler ma dernière gorgée d'eau est loin derrière moi lorsque j'aperçois une voile dans le lointain. Sans doute un véliplanchiste qui, par ce fort vent d'ouest, s'offre quelques émotions sur la Loire très large à cet endroit. À ma grande surprise, il va d'une rive à l'autre au lieu de suivre le lit du fleuve pour prendre un peu de vitesse en remontant ou en descendant dans le sens du vent. Je découvre un canoë muni d'une voile. Son occupant a fort

---

1. www.tierslivre.net

à faire avec une brise de face qui l'oblige à tirer des bords très courts et un peu compliqués.

C'est l'un de ces superbes canoës en acajou très élégants et tout en longueur, que l'on appelait autrefois des «canadiennes». Et voici qu'une deuxième canadienne vogue un peu plus loin, avec à son bord un homme et, sagement assis à l'avant, un petit chien. Je m'approche afin d'entamer la conversation, mais un coup de vent plus violent arrache la casquette du bonhomme qui s'arrête pour la récupérer. Me laissant glisser au fil du courant pour l'attendre, je découvre avec surprise, sur la rive gauche, une cinquantaine de personnes et un alignement de canadiennes échouées sur la grève. Ravi du spectacle, dévoré de curiosité, j'aborde immédiatement. Au milieu de tous ces objets d'art, mon bateau en «plastoc» fait figure de vilain petit Canard. Il s'agit d'un groupe d'amateurs de canoës anciens qui effectuent leur grande sortie annuelle. Deux ou trois associations de la région d'Amboise, de Tours et d'Angers se sont réunies pour cette expédition. Il y a là trente bateaux de bois. Le plus ancien, me dit-on, a été offert en 1932 à l'aïeul du propriétaire en cadeau de mariage. Ce sont de pures merveilles entretenues avec amour, vernies, bichonnées et sorties pour les grandes occasions. Le chef de cette flottille, Yannick pour l'état civil, porte les jours de navigation un nom viking, Ragnar, et son épouse abandonne Martine pour Freyja. Passionnés par la culture viking, ils ont créé une association, au nom nordique bien sûr, qui organise des stages.

L'armada a mis à l'eau ce matin au port de Luynes et naviguera tout le week-end. Bien entendu nous parlons exclusivement canoë et des petits groupes vont d'un esquif à l'autre pour en examiner les particularités, discuter vernis et réparations. Ces coques sont assurément plus fragiles que celle de mon Canard kamikaze. Aucune n'aurait sans doute résisté à l'épreuve du « portefeuille » au pont de Veauche. J'apprendrai plus tard qu'il faut compter deux cents heures de travail pour refaire le vernis d'une canadienne. Mais quand on aime, on ne compte pas, et ces hommes et ces femmes sont à l'évidence des passionnés.

Il n'y a rien là qui ressemble à une compétition. On a sorti les paniers de pique-nique, les retardataires sont arrivés. Le canoë équipé d'une voile aussi. Son navigateur, sitôt posé sur le sable, s'active à démonter le mât et la toile : avec le vent qui forcit d'heure en heure, il a compris qu'il finirait par reculer.

Lorsque nous repartons, j'accompagne la petite troupe. Sur l'un des bateaux, un homme navigue avec un énorme chien noir aux longs poils qui s'est fait prier pour monter dans l'esquif. L'animal risque à tout moment de faire sombrer l'embarcation. Superbe vision que ces canoës glissant en silence sur le fleuve, au rythme des coups de pagaie donnés comme au ralenti. Une image zen de sages qui, foin de toute urgence, ont épousé la dolence passagère de la Loire. Beauté du fleuve, beauté des bateaux, glissement silencieux de la troupe, je m'emplis les yeux de ce spectacle empreint de sérénité. Leur balade durera deux jours. Ils camperont ce soir sur une île à Bréhémont, face au village qui se trouve sur la rive gauche. Un discours du maire est même prévu au programme.

Le vent augmente encore, soulève des embruns, des vagues de plus en plus hautes se forment dans cette portion très large de la Loire. Il faut forcer sur la rame. La promenade tourne à l'aigre. La progression est de plus en plus difficile. Certains parviennent à tenir le rythme, mais d'autres, distancés, rompent la belle harmonie du départ. Après une heure de lutte contre la bourrasque, des équipages s'échouent sur une plage pour souffler. Mieux entraîné, et bien que mon bateau soit sans doute moins véloce, je maintiens un rythme assez rapide. Un homme dont la femme pagaie sans bruit à l'avant engage la conversation. J'ai mille questions à poser : les sorties du groupe, leur fréquence, la manière dont ils écument greniers et granges pour dénicher de vieux modèles, les réparations, pièce à pièce… De son côté, mon interlocuteur, intrigué par mon projet, s'étonne de ma résistance. Je n'ai aucun mérite, lui dis-je, je m'entraîne tous les jours depuis deux semaines.

– Et vous faites souvent du bateau comme cela ?
– Non, c'est la première fois. D'habitude, je marche.
– Ah bon ? Vous avez « fait » Compostelle ?
– Oui, et même la route de la Soie.
– Pas à pied quand même !
– Si, à pied.

Un coup de vent nous reprend la parole. Canard me fait un caprice et file vers la rive. Le temps de le remettre dans le droit chemin, le couple est loin. La violence des rafales augmente encore. « Jamais vu ça », me dit un vieux loup de rivière moustachu. Deux jeunes femmes s'arrêtent, bras coupés par l'effort, à la limite de la résistance. Il leur faudra pourtant aller jusqu'au bout, faute de route ni même de sentier pour sortir leur canoë de l'eau et le charger sur une voiture. Lorsque j'arrive à Bréhémont, une quinzaine de bateaux m'ont précédé et le maire a lancé son discours dans le vent. Certains, écœurés par le temps, décident de rentrer. Les autres s'apprêtent à traverser le fleuve pour préparer la nuit sur l'île. On guette les retardataires. L'homme au gros chien arrive le dernier, détendu et placide, alors que tout le monde commençait à s'inquiéter sur son sort. On me propose de partager la nuit sur l'île, mais je décline l'invitation car, sur le quai, Marie-Claude Josselin m'attend. Quelques plaisantins me taquinent : « Je vois, une femme dans chaque port... »

***

J'ai rencontré Marie-Claude et Marc, son mari, lors d'une soirée littéraire organisée par Paroles d'encre, une association sympathique et active de Versailles. Marc est, lui aussi, en train de naviguer quelque part en Bretagne sur son petit bateau à moteur. Leur maison est une ancienne ferme en tuffeau, fermée par un mur, qu'ils retapent peu à peu. Nous allumons un grand feu dans la cheminée et j'étends sous le préau mes affaires ruisselantes car les sacs « étanches » ont une fois de plus fait le plein d'eau lors de ma mésaventure sous le pont Wilson. Nous dînons de rillons et de fromage, le tout accompagné d'une bonne salade.

Mon hôtesse connaît bien l'histoire locale, évidemment dominée par la navigation sur la Loire. Au matin, elle me montre sur le port deux gros cylindres de pierre d'environ deux mètres cinquante de haut et d'un mètre de diamètre. Ce sont les survivantes des huit pissotières qui s'alignaient autrefois sur le quai devant les bistrots. Je repense à Brel et aux marins d'Amsterdam qui « pissent comme je pleure sur les femmes infidèles... »

La culture du chanvre était une activité très importante de la région, et la municipalité en plante quelques ares chaque année pour disposer de tiges à l'occasion de la fête traditionnelle du chanvre. Elle me parle aussi des « poires tapées », une spécialité locale. Les fruits déshydratés se conservaient et se transportaient facilement sur la

Loire. Avant de les consommer, il fallait simplement les faire bouillir.

Lorsque Marie-Claude me ramène au port, la petite escadre de mes nouveaux amis s'en est allée et Canard, solitaire, m'attend attaché à un ponton. Je reprends ma navigation. Le vent est partiellement tombé même si une légère brise agite encore la surface de l'eau. Le ciel est plombé mais la température plus douce qu'hier. J'espère déjeuner à La Chapelle-sur-Loire où je vais arriver. Mais nous sommes dimanche et je sais par expérience que les restaurateurs sont souvent fermés ce jour-là.

J'aperçois le clocher de loin. Je suis presque parvenu au village quand je découvre la flottille de canoës alignée le long de la rive. Je suis heureux de retrouver ces compagnons de navigation, mais ma surprise est totale quand je touche au but. Pour une raison inexplicable et dont je n'aurai le fin mot que plus tard, une soixantaine de personnes s'approchent du bord et m'applaudissent en souriant amicalement. Comme un héros au retour de je ne sais quelle victoire. Je dois être rouge de confusion et leur demande de cesser, mais ils n'en font rien et poursuivent leur *standing ovation*. J'ai un début d'explication au moment où une femme me demande : «Est-ce bien vous qui avez écrit trois livres sur la route de la Soie ? » Je confirme. Françoise et son mari Guy me disent le plaisir qu'ils ont eu à lire *Longue marche*. J'abrège. Pour l'instant, mon estomac n'est guère intéressé par la littérature, mais par quelque chose de plus nourrissant. Hélas, le restaurant près de l'église est fermé et il n'y en a pas d'autres. C'est alors que mes nouveaux amis rouvrent leurs paniers et, en quelques minutes, on m'apporte des reliefs de repas fort appétissants : rillettes, viande froide, fromage, gâteaux et même une bouteille de vin à moitié pleine. Lorsque la troupe reprend la Loire, je suis totalement intégré à l'équipe. En fin d'après-midi, ils s'arrêtent à Montsoreau. Leur voyage se termine. On me demande de me joindre au groupe pour la photo-souvenir. Françoise et Guy Prunières m'invitent fort aimablement à passer une soirée et une nuit chez eux. J'en suis ravi. Et nous prenons date.

Me voilà parti… ou presque. À peine ai-je glissé quelques mètres sur l'eau que tout le monde me hèle à grand bruit. Je suis en train de m'aventurer sur la Loire tourmentée avec mon bidon grand ouvert. Un chavirage et c'en est fini de mes notes, de mon appareil photo, de mon téléphone mobile, ainsi que de mon agenda électronique. Quel écervelé ! Je reviens au bord, visse le couvercle et m'éloigne avec de grands signes d'au revoir. Car on se reverra. Une sortie canoë en Normandie, près de chez moi, est prévue au printemps prochain. Canard va avoir la tête qui enfle s'il navigue avec d'aussi somptueux bateaux.

★★★

La navigation vers Saumur s'effectue sans incident, à l'exception d'un passage un peu technique que je contourne en marchant sur le sable et en retenant le bateau à la corde. À l'entrée de la ville, une île tout en longueur sépare la Loire en deux bras. Lequel prendre ? Un coup de téléphone aux Richard pour un peu de téléguidage et je choisis le bras sud. Bien que son excès d'utilisation m'irrite souvent, il est des moments où, je le reconnais, le portable a une véritable utilité.

L'île est parsemée de petites habitations tournées vers le fleuve, le sud et le château, protégées de la Loire par un mur cimenté. Sur le quai un peu surélevé, il y a là Thomas

Richard, un bras dans le plâtre, Nathalie, une jolie brune très souriante, avec trois bambins alignés (j'estime qu'ils ont de 3 à 10 ans). À la fenêtre d'une maison, une autre gamine un peu plus âgée. Tout ce monde sourit, heureux. La plus belle image de l'hospitalité que l'on puisse rêver.

La maison des Richard, fort originale, est une demeure anorexique, une bâtisse étroite et haute qui tranche avec les autres pavillons, plus massifs, alignés au long du quai. Un escalier de bois mange une grande part de l'espace. Il faut avoir de bonnes jambes pour habiter ici. Les enfants occupent le troisième et le quatrième, les parents le deuxième, je coucherai au premier.

Mes hôtes ont fait un pari risqué : ils ont aménagé une cuisine et une salle à manger au rez-de-chaussée qui donne au sud sur la Loire et au nord sur un petit jardin en contrebas. Compte tenu de la disposition des lieux, le fleuve s'invitera chez eux lors des grosses crues. On ne peut que leur donner raison, une telle tribu demande de l'espace. Je verrai un peu plus tard, avec un sourire attendri, sept brosses à dents s'aligner sur la tablette de la salle de bains. Habiter un quadriplex oblige à quelques aménagements. Fatigué de crier dans l'escalier pour demander aux enfants qui chahutent là-haut, au paradis, de descendre pour les repas, Thomas a installé au quatrième une petite cloche reliée par une ficelle à la salle à manger. Premier tintinnabulement, on se prépare ; deuxième, il faut descendre ; troisième, c'est la sanction : privé de dessert. Je me sens tout de suite comme le huitième membre de cette joyeuse maisonnée, ému de retrouver une atmosphère dans laquelle, cinquième d'une famille de sept rejetons, j'ai baigné toute mon enfance.

Thomas est professeur dans une école confessionnelle. Une de ses collègues lui rend visite car elle prépare une expédition à Paris pour la venue du pape en France. Je glisse très vite dans la conversation que je suis agnostique, afin que les choses soient claires, mais cela ne semble pas émouvoir mes hôtes. Nathalie était pianiste... avant de donner le jour à cinq gamins aux âges très rapprochés. Son instrument trône au premier étage et quelques partitions l'attendent patiemment. Ses enfants désormais tous scolarisés, elle compte bien s'y remettre. Avec Thomas, nous évoquons l'avenir et parlons longuement de l'instruction. Je partage l'avis de ce pédagogue sur l'éducation des petits auxquels il faut apprendre à gérer leurs frustrations, inévitables dans toute société organisée, et faire très vite la différence entre «oui» et «non». Les jeunes en grande difficulté que nous prenons en charge à Seuil n'ont hélas pas intégré ce nécessaire contrôle de soi, sans lequel la vie n'est pas possible en société.

Je dors sur un canapé en compagnie du piano et d'une harpe. Par les larges fenêtres, j'ai une vue superbe sur le château qui, paradant sur son vaste terre-plein, resplendit dans la nuit. Au matin, un épais brouillard s'est abattu sur la vallée et je ne vois même plus l'eau en contrebas. Le petit déjeuner avec les enfants revêt un caractère tout à fait exceptionnel : c'est le jour de la rentrée scolaire. Le plus petit, Jean, qui entre en maternelle répète en sanglotant qu'il ne veut pas aller à l'école et sa sœur Sarah traîne un peu les pieds dans l'escalier, guère plus enthousiaste à l'idée de se retrouver coincée sur une chaise, après tous ces jours de liberté et de gambades.

Canard mis à l'eau, Nathalie et Thomas m'adressent un dernier signe et la Loire m'emporte.

VIII

LES COTEAUX-DU-LAYON

La brume s'est levée. Canard trace un léger sillon sur le miroir du fleuve qui, en l'absence totale de vent, n'est agité que de quelques remous. Je glisse lentement, avec bonheur, dans la vibrante clarté du matin. Les bancs de sable se repèrent à des frisottis sur l'eau et je fais de grands détours pour rester en eau profonde. Sur la rive, les arbres dont la Loire a dénudé une partie des racines lors d'une colère précédente, attendent, résignés, la crue qui les précipitera tout entiers dans le lit du fleuve et les emportera dans une croisière improbable. J'ai rendez-vous avec les Prunières à La Ménitré, un petit port sur la rive droite de la Loire. Ils ont proposé de nous emmener, Canard et moi, chez les Noël. J'arrive avec un grand retard à l'endroit convenu. En un tournemain, Canard est attaché sur le toit de la voiture grâce à un système de courroies très astucieux. Guy, ce passionné de bateaux, possède deux canoës en bois et un kayak.

Les Noël habitent une belle longère séparée par une petite route d'un canal couvert de lentilles d'eau. Nous sommes d'abord accueillis par la ménagerie composée de trois chiens joyeux, des dogues français, me précisera Virginie, une fort jolie femme aux yeux bleus. Éric est occupé à préparer des grillades sur un barbecue dans la cour. Il fait beau, quoique un peu frisquet. Virginie et Éric sont venus du sud pour se rapprocher de leur fils Nicolas qui fait ses études à Paris. Mon hôtesse ne cache pas qu'elle est une mère un peu abusive, l'appelant parfois plusieurs fois par jour. Cela ne l'empêche pas de mener à bien son projet professionnel : elle accompagne des personnes victimes d'accident dans leurs démarches administratives ou judiciaires. Éric, la cinquantaine, est médecin anesthésiste. Il s'apprête à passer du statut de toubib à celui de patient car il doit affronter une opération délicate. Afin d'occuper les loisirs postopératoires, il a entamé l'écriture d'un roman qui, cela ne surprendra personne, se déroule dans le milieu médical.

Au matin, les Prunières, décidément très serviables, reviennent me chercher et me déposent à La Ménitré où ils m'ont pris en charge la veille. Je tiens à parcourir la totalité du fleuve. Pas question de prendre un raccourci qui me ferait manquer un tronçon du parcours.

Vers midi, dans la lumière de la Loire, se profile Saint-Mathurin, une ligne étincelante, soleil sur tuffeau, d'où émerge la flèche blanche à pointe noire de l'église. J'ai échoué Canard sur un plan incliné et pavé qui a dû voir passer plus d'un marin. Michel Cornély est le prochain sur ma liste de ce carnet d'amitiés ligériennes. Dès mon appel, il arrive aussi vite que le permet sa 2 CV chevrotante, effectue un demi-tour osé sur la route qui court sur la levée et m'emmène à 500 mètres de là dans une petite maison basse et élégante qui donne sur le fleuve. Il suffit de la regarder pour comprendre que cet ancien directeur commercial à la retraite adore son logis. C'était, au temps des gabarres, l'un des nombreux bistrots à matelots et sa date de construction est gravée dans le tuffeau : 1823. Presque trop tard. Le progrès technique allait rapidement sonner le tocsin de la marine de Loire et de ses marins, «seigneurs sur l'eau, vilains sur terre». À cette époque, il n'y avait pas encore de pont et le passeur s'appelait «Traversa». Il fallait avoir recours à ses services pour aller sur l'autre rive vider une fillette de coteaux-du-layon – ici, on dit «un layon».

La proximité du grand fleuve suscite des vocations. Jean-Claude Euxibe, un copain d'enfance de Michel venu boire un canon, se frotte à l'aviron. En 1958-1959, il sera membre de l'équipe championne de France en aviron «huit de pointe». Incollable sur tout ce qui touche à la Loire, il évoque le froid de l'hiver 1994, et les grosses galettes de glace qui obstruaient les arches des ponts. Mes deux interlocuteurs sont fiers de ce fleuve sauvage, un adjectif selon eux, bien mérité. Jean-Claude me raconte l'histoire des levées érigées pour canaliser ses colères. Avant l'an 1000, Louis le Débonnaire – le fils de Charlemagne qui s'était illustré en envoyant ses sœurs au couvent et en faisant crever les yeux de leurs amants – autorise les riverains à édifier des «turcies» avec des fascines, des treillages de branches pour se protéger des crues. Selon Jacques Bertin[1], auteur d'un livre dont l'action se situe à Chalonnes, en aval, c'est à Henri II, roi d'Angleterre et comte d'Anjou, que l'on doit ces levées. Vers 1300, un cartulaire (sorte de titre de propriété) de Saint-Hilaire-Saint-Florent donne aux habitants la permission de construire sur les turcies, à condition d'entretenir les lieux.

1. Jacques Bertin, *Une affaire sensationnelle*, Le Condottiere auto-édition, 2008.

Mais la Loire ne se laisse pas aussi facilement museler. Les trois grandes crues du XIXᵉ siècle s'étendent sur des kilomètres et inondent même les mines des ardoisières de Trélazé. Le dernier combat contre les inondations s'est déroulé en mars 2008. À la demande des maires de dix-huit communes qui totalisent 40 000 hectares, on a enfoncé derrière le mur en bordure de la Loire des palplanches de neuf mètres de long. Elles empêcheront l'eau de s'infiltrer à travers le sable qui constitue les levées. Une bonne affaire pour les maires : l'opération va rendre constructibles d'immenses terrains jusqu'ici inondables. Constructibles certes, mais ils ne seront plus fertilisés par le précieux limon de notre petit Nil.

Dans les années 1800, trente gabarres passaient ici chaque jour sur la Loire, devant les rives que nous surplombons. Elles transportaient du tuffeau, des poissons dans des viviers, des poires tapées et du sel. Les faux sauniers salaient la morue six ou sept fois plus que nécessaire. Avant de la remettre aux clients, ils enlevaient le trop plein de sel qu'ils vendaient à la sauvette. Les marins qui avaient descendu la Loire en sapine, et que l'on appelait les « gobeux », remontaient à pied. Pour arrondir leurs fins de mois, ils halaient les gabarres à la remontée et transmutaient tout de suite leur paie en vin. Les bistrots ne désemplissaient pas.

★★★

Je retrouve les Prunières à Bouchemaine pour passer la soirée en leur compagnie. Françoise et Guy sont un peu frustrés par la région. Elle était enseignante en Algérie. Lorsque le gouvernement algérien a décidé l'arabisation de l'enseignement, il a bien fallu partir de ce pays auquel ils étaient attachés. Avant de s'installer ici, ils ont vécu dans le département du Nord où ils ont apprécié la qualité des relations humaines chez les chtis. La navigation en canoë est chez eux une vraie passion. Conviviale, délicate, exigeante. La structure fragile de ces embarcations et leur rareté en font des objets cultes pour leurs propriétaires. La technologie des canoës de bois, très élaborée, requiert un entretien minutieux. Canard, fort heureusement, sera moins regardant.

Ils ont invité à dîner Serge et Yannick Marais, deux frères aussi passionnés qu'eux. Yannick est «président à vie» de l'association Voile et canotage d'Anjou. À mon départ, Guy m'offre un T-shirt du club dont je suis fait, en quelque sorte, membre d'honneur, Viking d'adoption. Et j'ai moins de peine à donner les premiers coups de pagaie : nous nous reverrons en Normandie au printemps.

Bouchemaine est située au confluent de la Maine et de la Loire. La Maine est elle-même la conjonction de trois rivières, la Sarthe, le Loir et la Mayenne. Elles ne se sont pas disputées pour savoir qui était la plus haute, la plus longue, la plus belle... et donc laquelle devait absorber l'autre. Les deux cours d'eau se sont mariés afin de donner naissance à un troisième, large et navigable dont l'apport à la Loire est important. De chaque côté du fleuve, des murets de pierre canalisent le courant, maintiennent un chenal qui, par sa vitesse, freine l'ensablement et permet, même en période d'étiage, la navigation de gros bateaux. Avant la construction d'une autoroute qui a fait concurrence à la voie d'eau, de grands navires, en particulier des transports de pétrole, remontaient encore jusque-là.

Le flux s'accélère et je me rapproche rapidement de ma prochaine étape, Chalonnes. Un peu avant le village, j'attache Canard à des branches. Un pêcheur revêtu d'une cotte plastifiée s'active à relever des casiers. L'homme navigue sur une barque équipée d'un moteur hors-bord. Près de là, de l'autre côté du fleuve, une toue cabanée est ancrée. À l'arrière de ce large bateau à fond plat, les pêcheurs accrochent un chalut qui barre le fleuve au mois d'août, à la saison des anguilles d'avalaison. Les bestioles, grosses comme le bras (le mien j'entends, celui qui a pris de belles proportions) ont quitté leur lieu de vie pour aller pondre leurs œufs dans la mer des Sargasses. Elles risquent fort, si elles n'évitent pas le filet à la descente, de terminer sans gloire sur la table d'un restaurant ou dans les cageots d'un mareyeur. Celles qui échappent au piège donneront naissance à plusieurs milliers de kilomètres de là, à 700 mètres de profondeur, à des alevins qui n'auront guère plus de chance de survie. Car après deux ans de navigation, sous le nom de civelles, ils se feront prendre dans l'estuaire, à la remontée vers les eaux maternelles et finiront en friture.

Alex Fagat est un homme jeune et solide qui a de la branche. Son grand-père et son grand-oncle étaient eux aussi pêcheurs professionnels sur la Loire. À l'avalaison, il capture 4 à 5 tonnes d'anguilles. Le reste de l'année, il pêche le brochet, l'alose, le sandre, le barbillon et la lamproie, cet étonnant poisson qui meurt après s'être reproduit sur les gravières des fleuves, à l'instar des saumons. Pendant la belle saison, Alex, comme le pêcheur rencontré plus en amont – qu'il connaît, d'ailleurs –, vit du tourisme. Très écolo, il accueille des jeunes pour des stages de sensibilisation à l'environnement et prépare un gîte pour recevoir des vacanciers. Il a autrefois navigué sur *La Montjeannaise*, une gabarre construite de toutes pièces sur le modèle d'un ancien bâtiment de Loire. Elle ne m'est pas inconnue. Thierry Guidet raconte dans son livre [1] comment il a achevé par une croisière sur *La Mont-jeannaise* la descente de la Loire à pied entre Montjean et Nantes.

Nous parlons pollution. Dans le Rhône, la découverte de PCB, une substance chimique toxique, a conduit à interdire la pêche et la commercialisation du poisson. Des prélèvements vont être effectués sur les poissons de la Loire et, en cas de présence de PCB, les pêcheurs du cru devront mettre la clé sous la porte. La pêche professionnelle est réglementée et les autorisations sur des portions de fleuve sont données par la DDA (direction départementale de l'Agriculture). Ainsi, Alex est autorisé à capturer des carnassiers sur la Sarthe. En ce qui concerne l'anguille, la surpêche va bientôt donner lieu à des quotas, et il n'exclut pas d'être limité, l'an prochain, à 3 tonnes. Mais l'homme connaît la Loire comme sa poche, il a du ressort et accepte parfaitement les contraintes du métier et la nécessité de préserver l'avenir.

À Chalonnes, je trouve Jacques Bertin attablé dans un petit restaurant voisin de sa maison. La patronne, dévalisée à l'heure du déjeuner, vient de refuser des clients. Mon hôte plaide si bien mon dossier qu'elle me dégotte un pilon de poulet que j'avale en deux bouchées tant mon estomac semble impossible à remplir.

Jacques Bertin se destinait à une carrière de journaliste, mais la rencontre avec des poètes et chanteurs comme Jacques Douai ou Félix Leclerc le conduit à s'orienter vers la chanson. En 1967, son premier disque obtient le grand prix de l'académie Charles-Cros. La presse salue la naissance d'un nouveau Trenet, d'un nouveau Brassens.

1. Thierry Guidet, *op. cit.*

Avec plus d'une vingtaine de disques à son actif, il chante la poésie. Mais le monde du show-biz suit les modes et pas spécialement les chansons à textes. Il connaît des périodes de vaches plus maigres. Aujourd'hui, il organise lui-même ses concerts, avec succès, et anime chaque année près d'ici, à Montjean-sur-Loire, un atelier-chanson.

Chalonnes, c'est « sa » terre, une terre qu'il aime, dont il connaît tout. Il évoque la tradition littéraire des bords de Loire. Durant la guerre, l'école de Rochefort animée par Jean Bouhier, un pharmacien féru de poésie, fait revivre l'esprit de ces lieux qui ont vu défiler les plus grands noms : Ronsard, Du Bellay, Max Jacob, René Bazin et son neveu, Hervé, l'auteur du célèbre *Vipère au poing*... sans oublier Julien Gracq, un peu en aval sur le fleuve. La Loire a nourri d'autres talents plus proches de nous, en particulier ceux de Luc Bérimont ou de René-Guy Cadou que chante Jacques Bertin. À la fin du déjeuner, nous abordons l'histoire locale, un sujet si vaste que nous nous donnons rendez-vous pour le dîner à Ingrandes, ma prochaine étape. Il viendra en voiture, moi je repars en canoë.

Canard semble gambader au bout de sa chaîne tant le flot est rapide et impétueux à Chalonnes. Tout en pagayant mollement vers Ingrandes, je suis saisi d'une tristesse que je connais bien : c'est la fin du voyage qui se profile. Dans quelques jours, je toucherai au but. Il faudra rentrer dans l'ordinaire des jours, l'agenda à gérer, les repas à heures fixes, le même lit tous les soirs. Il est des moments où je comprends le bonheur des nomades. Moi qui flottais dans le rêve, je me pose des questions bien terre à terre : où vais-je trouver une place pour Canard ? Dans mon grenier ou dans l'appentis, tous deux bourrés de mille objets inutiles, hors d'usage, cassés et indispensables au bricoleur que je suis : ferraille, appareils électriques et mécaniques que je me suis juré de réparer un jour, quand j'aurai le temps… Je ne suis pas encore arrivé, et voilà que, déjà, le rêve m'échappe.

Je m'arrête un moment à Montjean-sur-Loire (prononcer *Montejean*), une bourgade prospère à l'époque des fours à chaux. Alimentés grâce au charbon local, ils produisaient des milliers de tonnes de chaux enfournées dans des gabarres qui les emportaient vers les maisons en construction ou les terres à amender. Vue du fleuve, l'église toute blanche, perchée sur la butte, est immense. Compte tenu de la taille du village, elle est, comme à Saint-Dyé, totalement disproportionnée, incongrue, telle une cathédrale au milieu du désert. J'atteins Ingrandes en fin d'après-midi. Il n'y a plus de place sur la rive gauche à l'hôtel-restaurant où Jacques Bertin m'a fixé rendez-vous pour le dîner, mais le patron, fort serviable, me trouve une chambre chez un confrère de la rive droite, dans le village, et pousse la gentillesse jusqu'à m'y transporter dans sa camionnette.

Notre dîner est consacré à l'histoire locale. Violente, sanglante. Nous sommes dans la région où sévit la guerre de Vendée, mélange affreux de guerre civile et de haines exacerbées par l'hystérie religieuse. Chalonnes était républicaine, mais tout l'arrière-pays, «les Mauges», était chouan. Jacques raconte l'un des épisodes les plus fameux. En octobre 1793, l'armée vendéenne est défaite à Cholet par le général Kléber. Les chouans en déroute passent la Loire. Leur général, Bonchamps, blessé à mort, va mourir. Sachant que cinq mille Bleus, des prisonniers républicains, sont entassés dans l'abbatiale, et que l'on ne fera pas de quartiers, il donne un dernier ordre : «Épargnez les prisonniers.» Il sera obéi. Parmi les Bleus, un soldat d'Angers aura un fils, David d'Angers, qui deviendra député du

Maine-et-Loire et surtout un sculpteur célèbre. Un de ses chefs-d'œuvre sera… la statue du général Bonchamps, l'homme qui gracia son père. Je me promets d'aller la voir à Saint-Florent-le-Vieil. L'histoire est d'autant plus belle que le père de David d'Angers, par ailleurs aussi bonapartiste que son fils était républicain, s'était farouchement opposé à la carrière du jeune garçon. Soucieux d'aller apprendre son art à Paris, il dut faire une partie de la route à pied, son père ayant refusé de lui donner le moindre sou pour le voyage.

Le souvenir de la guerre de Vendée demeure prégnant dans les Mauges. Le maire de Saint-Florent-le-Vieil, Hervé de Charrette, descend du général chouan fusillé à Nantes le 29 mars 1796 sur la place des Agriculteurs. Aujourd'hui encore, les hommes de la rive droite, républicains, n'épousent pas, me dit-on, les filles de la rive gauche, imprégnées de culture chouanne. Ingrandes signifie «frontière». La Loire reste en effet une frontière entre deux populations fortement marquées par leur passé. Les mouvements de la JAC (Jeunesse agricole chrétienne) et de la JOC (Jeunesse ouvrière chrétienne) ont connu ici un développement fécond. Cette région frémit encore, à chaque élection, de passions collectives résurgentes, de blessures dont on se demande si elles seront, un jour, cicatrisées.

La vie économique est vivace dans les Mauges et nombreuses sont les petites «usines à la campagne» créées par des gens du cru qui ont pris le pari de la modernité sans pour autant quitter leur village. On fabrique en particulier des chaussures et, me dit mon hôte, c'est un «petit gars» du coin qui a autrefois inventé le pressoir Vaslin. Une révolution pour les vignerons.

Jacques Bertin m'a offert un fascicule relié de vert intitulé *La Gabarre, une esquisse de scénario*, dont il est l'auteur. Il me tiendra éveillé tard dans la nuit. C'est l'histoire d'une équipée fantastique sur la Loire durant la guerre de Vendée. Un groupe d'hommes et de femmes, républicains et chouans, réunis par une série de hasards, descendent le fleuve entre les troupes bleues qui tiennent la rive droite et les révoltés qui les mitraillent de la rive gauche. À bord, une femme enceinte, un soldat bonapartiste, un évêque royaliste en cavale… Toutes les qualités du genre sont là : suspense, amour, violence, rebondissements et des personnages magnifiquement campés. Au cours de notre discussion, Jacques Bertin, discret, n'a pas mentionné son dernier roman, tout juste achevé[1].

Au matin, Bénédicte, la dame du pont de Chaumont, m'envoie un SMS disant qu'elle est flattée de figurer en ma compagnie sur la photo qui illustre l'article de Joël Tarrida dans *La Nouvelle République*. C'est moi qui devrais m'estimer heureux d'être en compagnie de cette jolie créature. L'information ravive mon esprit chagrin. Elles seront bientôt finies les belles rencontres, le but est proche…

Il fait beau lorsque j'embarque au petit matin. Vue du fleuve, Ingrandes a l'air d'une ville fortifiée contre les eaux folles. Un haut mur borde la rive droite. Au-dessus, des maisons cossues tournées vers la Loire et sises au fond de leurs jardins, bien à l'abri de ses fureurs. La rive gauche, en revanche, ne présente aucune protection particulière. C'est la technique utilisée tout au long du fleuve : lui ouvrir des territoires dans lesquels il puisse enfouir sa colère. Les riverains sont habitués aux débordements. Les plus anciennes habitations se sont, de toute éternité,

1. Jacques Bertin, *op. cit.*

assurées contre les folies de la Loire. Elles sont équipées aux plafonds de crochets qui servent à suspendre
les meubles quand l'eau monte. Et si elle menace de ne
pas s'en tenir là, une poulie accrochée au toit permet de
les hisser jusqu'au grenier.

IX

MUSCADET

La fin du voyage. Depuis plusieurs jours, mon esprit est occupé par le souvenir de ma soirée, mon unique soirée alors que j'en prévoyais de nombreuses, sur une île de la Loire. Elle a été la seule, ma nuit sur l'île des Loups, où je n'ai pas été l'hôte d'amis ou d'hôtels, où j'ai été livré à la solitude, à une communion voulue et aimée, un compagnonnage avec le fleuve et son histoire. J'étais ce soir-là l'invité de la Loire. Je me revois, assis sur le sable, Canard échoué à deux pas, dans l'obscurité que perce un feu de bois mort. Elles rôdent peut-être alentour, les mânes de ces loups qui ont donné leur nom au lieu et que, probablement avec des chiens supplétifs et traîtres à la race – comme ceux qui aboient sur l'autre rive –, on a traqués et tués, leur sang bu par le sable blond. La nuit est porteuse de rêves. À mesure qu'elle s'avance, d'autres fantômes sortent des ténèbres et viennent me tenir compagnie. Ils sourdent de la grève, émergent de l'onde, méprisant les nuées de moustiques vrombissants, plus silencieux que les «flops» des poissons en chasse, que le bruissement des saules promis un jour à la noyade comme cette souche griffue qui, à la lueur de la flamme, prend vie et frémit d'imperceptibles sursauts. Ô spectres si présents qu'il me semble pouvoir les toucher !

Ces fantômes sont ceux des milliers et sans doute des millions d'êtres qui sont venus se nourrir, s'abreuver à ce fleuve d'exception, cette source de vie et parfois de mort qui a marqué leurs existences. Ces êtres qui ont lutté contre le courant ou se sont laissé porter par lui, qui n'ont pu s'enfuir loin de ses fureurs saisonnières, porteuses à la fois de terreur et de limon nourricier. Chaque grain du sable sur lequel je suis assis, les yeux soudés à la braise, aurait une histoire à raconter. La Loire, sur mon île solitaire, fait défiler dans les flammes les légendes de son passé.

Voici les premiers âges de l'humanité, alors que le fleuve a déjà, depuis des millions d'années, choisi son lit, raboté le paysage. Sur ses rives, des humanoïdes troglodytes trouvent asile à l'intérieur des grottes creusées dans cette pierre tendre et lumineuse qu'est le tuffeau. L'histoire du fleuve et des hommes commence. Elle ne va pas s'arrêter pendant six mille ans. Sur ces eaux, sur ces sables, invisibles et pourtant présentes, les ombres de milliers d'êtres tremblaient quand je pagayais dans les matins de brume. Ils reviennent me tenir compagnie sur l'île des Loups. Aucun fleuve européen, sinon peut-être le Rhin et le Danube, n'a porté autant d'hommes, drainé une telle quantité de richesses et de cultures, écrit l'histoire.

Fleuve changeant. Aux périodes d'étiage ou lorsqu'il décide de trouver un nouveau lit, comme si l'ancien était trop froissé par ses foucades et ses colères, apparaissent au ras de l'eau des ports, des forteresses, râpés par le sable. En témoignent les recherches savantes de géologues et d'archéologues dont j'ai lu les comptes rendus dans le livre offert par Olivier Morin[1]. Nul doute alors que les esprits de ces milliers de voyageurs, libérés du poids de l'eau, s'évadent dans la nuit et s'invitent dans les rêves des marins d'aujourd'hui, fussent-ils des amateurs comme moi. Des ruines noyées d'anciens édifices surgissent les silhouettes d'hommes glabres venus de la Rome antique vaincre et civiliser les peuplades chevelues de nos ancêtres gaulois. Les galères remontaient la Loire à coups de rame, transportant les amphores ventrues dont on retrouve des éclats dans le fond du fleuve. Les Romains avaient fait d'Ancenis l'un des ports les plus importants de leur empire. Mais les empires passent et la Loire, comme les heures et les siècles, continue de couler obstinément, claire ou fangeuse selon les saisons, portant indifféremment les hommes ou les troncs d'arbres arrachés au rivage.

D'autres revenants viennent me visiter. Leurs ombres se mêlent à l'obscurité qui m'entoure et viennent s'ébattre sur les sables, peuplant ma rêverie solitaire, mon songe éveillé. Je jette une poignée de bois mort dans le brasier que j'ai allumé pour chasser les moustiques mais il n'effraie pas les esprits. Jaillit une gerbe d'étincelles, et le passé de la Loire continue à défiler devant mes yeux, à la lueur des flammes.

Quels destins, quelles amours pour ces marins de Loire peut-être échoués ici pour cause d'étiage, leur gabarre chargée de sel et de morue posée sur le lit de gravier? Elle repartira à l'assaut lorsque le flot voudra bien la porter de nouveau et que le vent d'ouest consentira à gonfler la grande voile. Assis comme moi autour d'un feu de bois

---

1. *Approche archéologique de l'environnement et de l'aménagement du territoire ligérien*, Éditions de la Fédération archéologique du Loiret, 2002.

sec, ils se racontent, ces marins à l'oreille ornée d'une ancre d'or, les bordées mémorables dans les bordels de Nantes, les bagarres avec les matelots d'autres équipages, les filles lutinées dans les estaminets de Chalonnes ou de Saint-Mathurin. Ils rêvent aux belles lavandières saluées au passage, d'un geste amical ou d'une plaisanterie grasse, selon l'heure ou l'humeur. Ils se récitent les noms des vins qu'ils ont bus, des fillettes vidées jusqu'à ce qu'ils perdent conscience ou que le fond de leur bourse soit déserté par la dernière pièce. Pour l'heure, invités involontaires, échoués sur l'île des Loups, ils boivent l'eau de la Loire et leur seule ivresse est celle des souvenirs. Demain, si le flot gonfle mais que le vent tombe, ils s'attelleront au harnais et haleront la lourde barque jusqu'au prochain port, jusqu'aux prochains bistrots.

Ils n'ont pas allumé de grands feux, les faux sauniers qui se glissent dans l'ombre à la nuit tombée, chargés du précieux sac de sel qu'ils vendront à prix d'or à moins que, dans un éclair stupéfiant, la balle d'un gabelou tapi dans les fourrés n'éteigne d'un coup leurs rêves de fortune.

Ont-ils abordé sur mon île, les Vikings blonds, venus des brumes du Nord sur leurs esquifs fluides, remontant le fleuve comme les saumons au temps des amours, chiens voraces criant la mort dans une langue inconnue, infatigables chercheurs d'un eldorado, repartant avec leur butin à la lumière des incendies sur les cendres desquels on érigera des cimetières ?

Ont-ils descendu ce flot que j'entends chuchoter sur la rive, ces marins de Loire qui allaient s'embarquer à Nantes sur les voiliers en partance vers les États-Unis et faisaient un détour par les côtes africaines où ils chargeaient leur cargaison d'esclaves, ce «bois d'ébène» à l'origine de fortunes colossales, là-bas dans les plantations de Louisiane ?

Ont-ils occupé la rive gauche d'où partent les hurlements des chiens, les chouans, ces fous de religion, jetés au-devant de la mitraille par des curés qui leur promettaient au mieux que Dieu détournerait les balles, au pire qu'ils iraient droit au Ciel? Sous le sable, combien de cadavres blanchis de femmes ou d'enfants assassinés par les « colonnes infernales » armées par la jeune République?

Ont-ils fait escale ici, pour un pique-nique coquin, les beaux messieurs et gentes dames qui glissaient à la belle saison d'un château à l'autre, venus de ces cathédrales du bonheur que l'on construisait à grands frais pour leurs seuls plaisirs et pour une fête perpétuelle de poésie et d'amour?

Ainsi me portait mon rêve en ce soir de veillée sur l'île des Loups. La Loire, fleuve et chemin des hommes, avant d'être niée, détrônée par le chemin de fer et l'automobile, n'existe plus aujourd'hui que par son extraordinaire histoire. Cette histoire, qui m'a pénétré un peu plus à chaque coup de rame, s'est dévoilée à chaque méandre, m'a guidé sur ce chemin de solitude et d'amitiés. À présent, je mesure mieux le privilège qui m'a été donné de pénétrer au cœur de ce temple d'eau et de sable.

X

GROS-PLANT

Au fil des millénaires, les crues ont déposé des alluvions qui ont fait la richesse de ce pays de cocagne. J'ai rarement eu le loisir de m'aventurer loin des rives, et m'en veux un peu de cette hâte qui me fait filer vers Nantes alors que mon statut de retraité devrait me laisser un temps illimité. Perché sur Canard, il m'est arrivé de profiter d'une échappée vers les collines couvertes de vignes, les grandes étendues de chaumes, restes des blés fraîchement coupés, les forêts de Sologne regorgeant de gibier. Vallée des rois, disent les dépliants, en référence aux nombreux châteaux qui rivalisent de luxe et de beauté, étalant la puissance et la gloire de leurs bâtisseurs. Mais ce fut d'abord une vallée des dieux, l'ultime travail d'Hercule qui, selon la légende, détourna la Loire vers l'Océan. Tous les dieux de l'Olympe ont dû se liguer pour lui apporter leurs bienfaits. Elle est belle, la Loire farouche. Il faut la laisser vivre librement, même si elle pratique parfois l'amour vache et brutal. Je suis venu avec l'idée de la dominer, de la conquérir. Je la quitterai en amoureux transi.

Je donne mon premier coup de pagaie à Ingrandes quand

une flottille de canots à moteur emmenée par une puissante toue cabanée quitte le petit port et remonte vers Montjean-sur-Loire : ce sont les préparatifs d'une fête à laquelle je n'aurai pas, hélas, le temps de participer. Chaque année en effet à cette saison, une association nantaise, Loire pour tous, organise deux jours de célébration. Partant de Bouchemaine, une armada composée de tout ce qui peut flotter, bateaux, canots, canoës, kayaks, radeaux... descend la Loire et fait halte à Ingrandes avant de poursuivre vers Nantes.

Un peu en aval d'Ingrandes, on a coulé sur chaque rive deux monstrueux boudins de béton afin, semble-t-il, d'empêcher l'ensablement de la Loire. Ils agissent comme un entonnoir, resserrant le flux qui se déverse avec une puissance impressionnante dans un bassin où je suis littéralement propulsé. À l'instant où Canard y pose le bec, je regrette de n'avoir pas endossé mon gilet de sauvetage. Le rétrécissement du fleuve provoque des remous d'une violence telle que j'ai l'impression de glisser vers un abîme. Quiconque tomberait dans ce chaudron terrifiant aurait peu de chance d'en réchapper. Les tourbillons soulèvent des vagues de sable et de vase qui donnent à l'ensemble une couleur sinistre. On dirait que le fleuve bout.

Pour la première fois depuis mon départ, j'ai vraiment peur. Canard bousculé, chahuté semble incontrôlable. Je donne de prudents coups de pagaie pour traverser une zone que, souvenir d'un poème de Baudelaire, je qualifierais de «gouffre amer». En aval, un homme dans un canot à moteur a arrêté son engin et m'observe. Sa présence attentive me rassure. Je le salue et le verrai, après mon passage, tenter la traversée en remontant. S'est-il arrêté pour me laisser passer de crainte que les remous ne nous jettent l'un contre l'autre ou pour me porter secours si nécessaire? Je n'en saurai jamais rien.

Ce matin-là, comme je pagaie la tête encore pleine des récits de Jacques Bertin, me revient le commentaire un peu ironique d'un sédentaire devant le parcours d'un nomade. Comment en effet expliquer les motifs d'une telle expédition? Un geste gratuit, pour rompre avec le quotidien, pour se mettre en danger, histoire de redonner du prix à sa propre vie? Il y a de la folie dans le départ, une fuite, un élan irrépressible, fort comme un sentiment amoureux, une variante du coup de foudre. Le voyage en solitaire implique une volonté de se remettre en cause, de se transcender, de tordre les rails qui nous guident au quotidien, de rompre les digues mentales et sociales qui nous contiennent, nous ligotent plus ou moins à notre insu. C'est une décision irrationnelle, difficile à faire comprendre à un esprit cartésien.

Un peu avant midi, j'aborde à Saint-Florent-le-Vieil malgré une impatience d'en finir qui s'installe doucement en moi: puisque la fin arrive, qu'elle vienne vite. Je dois rendre visite aux mânes de deux illustres habitants du village: Julien Gracq, l'écrivain qui s'est éteint il y a neuf mois, en décembre 2007, et le général Bonchamps mort sur l'autre rive et immortalisé par David d'Angers. J'amarre Canard devant *La Gabelle*, le restaurant du poète où je me suis promis de déjeuner.

Auparavant, je me dirige vers le sanctuaire où cinq mille Bleus républicains, prisonniers des chouans, attendaient voici un peu plus de deux siècles d'être exécutés. La sculpture de David d'Angers, installée dans l'église qui domine le fleuve au sommet de la colline, est superbe. Mais elle est perchée sur un socle très haut et il faut se démancher le cou pour n'en apercevoir que la partie supérieure. Le général est représenté en éphèbe à demi nu, appuyé sur un bras et levant l'autre dans un geste dont on ne sait trop s'il est d'adieu ou de pardon. Je me retire un peu à l'écart pour éviter la proximité d'une classe d'enfants bruyants. Quelques visiteurs échangent des commentaires dont les bribes que je saisis laissent à penser qu'ils auraient été dans le camp vendéen.

En 1793, les Vendéens, conduits par leurs curés, donnent leur vie comme ils prennent celle des républicains. Ils viennent d'essuyer une défaite face à Kléber, à Savenay. Leur guerre est perdue. Le général Turreau, mandaté par la jeune République, prépare et arme les «colonnes infernales» qui, quelques mois plus tard, vont envahir le pays, incendier, tuer, violer, détruire en provoquant des dizaines de milliers de morts. À la tête d'une de ces colonnes, le général expliquera ses méthodes dans un rapport : lorsqu'un lieu ou un village est investi, on commence par fusiller tous ceux qui sont pris les armes à la main. On aligne ensuite les autres afin qu'ils assistent à l'incendie de leurs biens. Puis on passe par les armes hommes, femmes, enfants et vieillards. Dans certains cas, les officiers montrent l'exemple, violant les femmes avant de les faire abattre.

Je redescends vers la place qui donne sur la Loire, face à l'île Batailleuse – l'une des plus grandes, avec son hameau et ses 9 kilomètres de long. Le restaurant porte le nom de l'impôt sur le sel, la «gabelle», sans doute le plus honni de l'histoire fiscale. Le mot, ici, évoque les hauts faits qui se déroulaient de part et d'autre d'Ingrandes, véritable frontière entre le Maine-et-Loire et la Loire-Atlantique. À Saint-Florent, nul ne payait la gabelle au nom d'une ancienne franchise et le sel valait vingt fois plus cher à l'est d'Ingrandes. Thierry Guidet raconte dans son livre[1] : « La contrebande incessante, la guerre du sel, toute d'embuscades sanglantes, le cache-cache cruel auquel se livraient sur la Loire les gabelous et les faux sauniers qui, s'ils étaient pris, risquaient les galères après avoir été enfermés dans des cages de fer. »

À proximité, l'humble maison de Julien Gracq, ce grand littérateur décrit par Michel Tournier comme le « plus grand écrivain français qui [...] domine les lettres françaises depuis cinquante ans », continue de regarder défiler ces eaux qu'il a sans doute mille fois contemplées. Dans *Les Eaux étroites* dont je viens de lire avec délectation les premières lignes, véritable musique des mots, l'écrivain décrit ses excursions le long d'un minuscule affluent, l'Èvre, qui se jette dans la Loire à 1 500 mètres de sa demeure : « ... Si le voyage seul – le voyage sans idée de retour – ouvre pour nous les portes et peut changer vraiment notre vie, un sortilège plus caché, qui s'apparente au maniement de la baguette de sourcier, se lie à la promenade entre toutes préférée, à l'excursion sans aventure et sans imprévu qui nous ramène en quelques heures à notre point d'attache, à la clôture de la maison familière. »

Je demande à la serveuse de *La Gabelle* si le grand homme avait une table favorite ou attitrée. Non. Il ne réclamait aucun privilège. Quand il déjeunait ici, c'était, à l'occasion, pour traiter un visiteur venu lui rendre hommage dans le modeste pavillon qui lui servait de havre d'écriture et ne déparerait pas dans une zone ouvrière pavillonnaire de la banlieue sud de Paris. Le talent se passe d'écrin.

Et de nouveau me revient cette angoisse : comment, après avoir lu ces lignes sublimes, avoir l'arrogance de

1. Thierry Guidet, *op. cit.*

prétendre écrire ? Je n'aurai pas le loisir d'aller flâner sur les bords de l'Èvre, son livre à la main en guise de guide, car le temps me presse. Un an après sa mort, les biens de Julien Gracq, estimés à 200 000 euros, ont été vendus aux enchères à Nantes pour un montant de 900 000 euros. Les lettres d'André Breton (75 000 euros) et celles de René Magritte (133 000 euros) ont atteint des sommets. Avec cette somme, l'ermite de Saint-Florent aurait pu s'acheter un petit château sur la Loire. Il faut croire qu'il attachait plus d'intérêt aux mots qu'aux comptes bancaires. La ville pleure encore son grand homme. Selon la correspondante du *Courrier*, le journal local, à 90 ans il faisait encore gaillardement sa promenade quotidienne.

À *La Gabelle*, je m'accorde un repas de fête. Depuis cinq semaines, hormis les dîners offerts par mes hôtes, je suis abonné aux sandwiches et autres croque-monsieur quand j'échappe aux cuisses de grenouille. La pluie fine et glaciale qui délave les quais pavés justifie ce petit plaisir. Je choisis une salade de produits régionaux baptisée «les Mauves» et un sandre au beurre blanc arrosé d'une demi-bouteille d'anjou. Après une tarte fine aux pommes, c'est le cœur en joie que je rejoins Canard qui semble lui aussi danser sur les petites vagues que le vent d'ouest fait miroiter sous une lumière pourtant bien terne.

★★★

11 septembre. Lorsque j'arrive à Ancenis, il fait de nouveau un temps épouvantable. J'amarre Canard entre deux arrogants canots à moteur et pénètre dans la ville à la recherche de la maison du Dr Pierre Boquien. Je m'arrête dans le premier bistrot venu car je dois me

refaire une beauté ou plutôt une santé avant de frapper à la porte de mon hôte de 90 ans. J'ai vaguement conscience de n'être pas très présentable, mais, dès mon entrée dans le café, j'en ai la confirmation. Un grand adolescent dégingandé, au menton pointu orné d'un duvet qu'il estime sans doute être une barbe, glisse, en me désignant, un mot à trois jeunes filles. Elles regardent dans ma direction, font quelques efforts pour garder leur sérieux puis s'enfuient, vaincues par le fou rire. Il est vrai que mon aspect pour le moins farfelu s'apparente à celui qui avait laissé sans voix les routiers.

Je commande un thé et, désormais seul avec le barman, j'extrais des vêtements secs de mon bidon. Je suis – presque – présentable. Le Dr Boquien habite sur une vaste place rectangulaire qui ressemble au champ de foire de ma petite ville, après-guerre. Chaque vendredi, les paysans y amenaient leurs bêtes, et, une fois par an, à la Saint-Michel, après récoltes et avant labours, c'était la foire aux commis qui signaient leur contrat d'une poignée de main. D'emblée, Philippe Boquien me prévient que son père, Pierre, est très ébranlé par la disparition de sa femme au printemps dernier. Au dîner, nous serons rejoints par Bertrand, un autre fils Boquien, correspondant du journal local, dans la région en amont du fleuve.

Le docteur est un vieil homme comme on aimerait le devenir. Lucide, droit, pratiquant la marche et le vélo, entretenant lui-même son jardin, il ne néglige pas pour autant les choses de l'esprit. Chaque mercredi, il tient un petit salon où le rejoignent quelques amis pour discuter du monde comme il va. Il est né dans une famille de dix enfants et il en a eu huit avec son épouse dont les photos posées sur la cheminée témoignent qu'elle est encore fort présente. Il a fait une carrière de médecin, mais c'est à la retraite qu'il va se jeter dans une aventure qu'il me raconte par le menu.

Une parente lui remet un cahier de comptes découvert dans les archives d'un vieil oncle. Rien que de très banal en apparence : des noms, des montants payés ou dus. Mais Pierre Boquien va aller plus loin, bien plus loin. Son aïeul a été chirurgien militaire et commandant de cavalerie dans l'armée vendéenne. Blessé lors de l'attaque de Nantes, amnistié après la défaite des chouans, il reprend son métier de médecin dans la ville de Clisson dont il deviendra maire. C'est tout ce que, dans la famille, on sait de lui. À partir de ces simples données, Pierre Boquien va travailler sans relâche pendant plus de dix ans. Il suit des cours d'histoire à la faculté pour apprendre à décrypter les documents, hante les dépôts de vieux grimoires, les archives départementales, les bibliothèques, se fait archiviste, biographe, généalogiste. Encouragé par les professeurs de l'université, il va reconstituer le puzzle que fut la vie de son ancêtre. Son travail se concrétisera par la publication d'un opuscule qu'il me montre fièrement. Belle reconversion en effet. Infatigable conteur, il ne manque pas d'humour non plus.

– J'ai rencontré un de mes anciens patients. Il m'a dit : « Eh bien, docteur, vous n'êtes pas mort ? »

Ça l'amuse, mais une ombre passe quand il évoque sa femme, et ses deux fils se crispent imperceptiblement. La blessure est encore vive. Pierre Boquien a demandé à ce qu'on l'envoie à l'hôpital si, à son tour, il tombait malade. Le lieu ne lui fait pas peur, il le connaît bien pour y avoir passé une bonne partie de sa vie professionnelle. Je dors dans ce qui fut sa salle de consultation. Au matin, il a ressorti certains documents dont il m'avait parlé la veille. Parmi eux, le fameux livre de comptes de son aïeul, couvert d'une écriture fine à la plume.

Une semaine après mon passage, le Dr Boquien s'est rendu à pied à une exposition. En revenant, il est tombé, foudroyé par une crise cardiaque, à quelques mètres de sa porte. Son petit-fils à qui l'on avait raconté que sa grand-mère était montée au ciel lui avait dit : «Alors Dadi, il va falloir te dépêcher, pour ne pas la faire attendre.» Son épouse ne l'aura pas attendu longtemps. Son fils Philippe m'a reconduit jusqu'au port. Nous nous reverrons sans doute au prochain festival Étonnants Voyageurs à Saint-Malo où il réside.

★★★

Ce soir, je serai à Nantes. En grimpant dans mon canoë, je prends conscience que c'est notre dernière journée de compagnonnage pour cette année. Elle ne sera pas la plus facile. Je me laisse d'abord porter par une Loire dolente. Vers 11 heures seulement, je constate qu'elle est plus que lente, stagnante. La marée remonte fort loin dans les terres. Je prends tout d'abord les choses à la légère. Un petit courant de rien du tout m'oblige à forcer un peu sur la rame. Mais, peu à peu, je dois accentuer mon effort. Encore une heure et je suis véritablement dans un fort courant contraire, comme si j'avais décidé de remonter à la source de la Loire. Le passage d'un pont me donne du fil à retordre. Les piles, très larges, provoquent un effet d'entonnoir et le courant est si violent qu'il me faut presque dix minutes, progressant centimètre par centimètre, pour franchir l'obstacle. Je peine ensuite un peu moins mais, une heure plus tard, je n'ai pas parcouru plus de 1,5 kilo-mètre.

Exténué, je botte en touche et m'échoue sur le sable

au milieu des roseaux qui prolifèrent sur la rive. Apercevant les façades de deux restaurants, j'abandonne Canard sans même l'attacher et j'escalade le mur de pierre de la levée. Les deux établissements sont fermés. Il ne me reste plus qu'à faire preuve de patience et d'abstinence forcée en attendant la marée descendante. Pour me protéger du vent et de la pluie qui menacent de nouveau, je me réfugie sous l'auvent d'un arrêt d'autobus où j'achève *Si c'est un homme*, l'atroce et bouleversant récit de Primo Levi sur les camps. Une lecture propre à relativiser les petits soucis quotidiens. Si l'homme a pris le dessus sur toutes les espèces de la création, c'est bien parce qu'il est le seul qui, confronté à la mort, ne se couche pas pour l'attendre. Il y a dans l'intelligence, la volonté, la résistance des êtres qui ont survécu à l'Holocauste une fureur à vivre qui m'interpelle. Aurais-je résisté pareillement ou me serais-je couché moi aussi, dans l'attente de l'inéluctable ? Je mets ensuite un peu d'ordre dans mes notes.

La Loire enfin étale, je redescends. Une trouille rétrospective me saisit quand je constate, à ma grande stupeur, que le niveau de l'eau a continué à monter. Résultat, Canard flotte librement. Il aurait fort bien pu dériver sans que je m'en rende compte dans la mesure où, caché qu'il était par le mur de la levée, je ne le voyais pas. Ce sont les roseaux qui l'ont délicatement empêché de prendre le large. Il sera dit que même le dernier jour, mon inexpérience ajoutée à mon étourderie auraient pu avoir de lourdes conséquences.

Quand je reprends ma route, je dois souquer ferme au début, puis petit à petit le courant descendant me porte. À cet endroit, la Loire est large et profonde. Un gros bateau qui vient de charger du sable s'éloigne de la rive et file vers Saint-Nazaire en provoquant de grands remous. J'imagine qu'au-delà de Nantes ils doivent être nombreux, ces monstres rugissants. Je ne les verrai pas. Nous sommes le 11 septembre et je dois être de retour à Paris vers le 15 septembre pour des rendez-vous liés à l'association Seuil. Une autre raison est dictée par la prudence. Dans l'estuaire, il faut être équipé d'un kayak de mer ou d'un canoë couvert en cas de mascaret. Cette grosse vague qui résulte du choc des eaux du fleuve et de l'Océan – à l'origine de la mort de Léopoldine Hugo et de son mari – remplirait Canard à ras bord en un instant et je me retrouverais en train de nager dans le bras de mer. Ni le temps ni mon équipement ne m'en laissant le loisir, je vais donc mettre un terme à ma navigation à Nantes. Si mon voyage est achevé, je n'ai pas bouclé le cercle des rencontres : quatre personnes m'attendent ici.

Arrivé en vue de la ville, je m'oriente à droite de l'île du Héron puis de l'île de Nantes et m'arrête sous le pont Aristide-Briand. Je hisse le bateau et trouve un anneau pour accrocher Canard. C'est préférable car la boue qui recouvre le quai sous le pont et dans laquelle je patauge témoigne qu'à marée haute l'eau arrive jusque-là. En attachant Canard, je prends conscience que c'est la fin du périple. À cette minute, je ne sais trop qu'en penser si ce n'est qu'une fois de plus la chance m'a protégé. En six semaines, je me suis prouvé qu'il n'est nullement besoin, pour assouvir sa soif d'inattendu, d'aller chercher l'imprévu ou l'inconnu très loin, sous les tropiques ou les pôles. Tout trajet est une aventure. Les déplacements solitaires plus que les autres. Je n'aurais pas trouvé plus de satisfactions, de bonheurs, de frissons ou de belles rencontres dans l'endroit le plus reculé du monde. L'aventure est dans la manière du voyage plus que dans le lieu.

Quelques minutes plus tard, Guy Lorant vient me

prendre en voiture avec mes sacs et mon bidon. Journaliste de formation, il a choisi la communication. Attaché
de presse d'Edmond Maire, lorsque celui-ci était secré-
taire général de la CFDT, puis directeur de la communication de la ville de Nantes, il fait désormais du conseil
en communication auprès de collectivités locales. Barbu
et blanc de poil, c'est un gaillard chaleureux, presque plus
bavard que moi. Nous réussissons néanmoins à terminer
nos phrases et nous trouvons mille points communs. Son
épouse marocaine m'accueille avec tout l'art musulman
de l'hospitalité. Elle nous a préparé un repas délicieux.

Thierry Guidet, mon hôte de ce soir, arrive peu après.
Les deux hommes se connaissent bien. Un dîner sympathique et cordial dissout un peu le spleen qui me serrait la
gorge ces derniers jours. Je ne pouvais rêver meilleure fin
de parcours que cette rencontre entre trois travailleurs de
la plume et du langage. Reste une certaine nostalgie. Parvenu à ce but tant espéré, après m'être arraché tant de fois
à l'amicale pression d'hôtes qui voulaient me retenir, je me
sens frustré que ce soit déjà fini. Il va me falloir retourner
dans le monde et je n'y suis pas tout à fait préparé. Encore
une minute, monsieur le bourreau, avant que le voyage et
la réalité du fleuve ne se transforment en souvenirs.

J'ai l'impression de déjà bien connaître Thierry Guidet,
cet homme dont j'ai lu et relu le livre relatant sa descente
à pied du Gerbier-de-Jonc jusqu'à l'Océan. Depuis l'été
2007, le pauvre bouquin a été annoté, plié dans mon sac,
il a traîné dans toutes mes poches. Thierry habite une fort
belle maison qu'il a rénovée (c'est fou ce que j'aurai rencontré de bâtisseurs-décorateurs) dans un petit village au
bord de l'Erdre, le dernier gros affluent de la Loire sur la
rive droite. Si Thierry n'avait pas été journaliste, notamment à *Ouest France*, il aurait sans problème, compte tenu

de son gabarit, trouvé à s'employer comme déménageur de pianos. Il a écrit plusieurs romans et un autre récit de voyage relatant son trajet à pied le long du canal qui va de Nantes à Brest. Plus récemment, il a inventé un nouveau type de journal : *Place publique* est un gros magazine périodique de plus de cent cinquante pages qui paraît uniquement dans la région nantaise. Pour l'avoir feuilleté, je confirme que le mot d'ordre figurant sur la une : « privilégier la raison à l'émotion, la durée à l'éphémère » est exact. Tous les sujets concernant l'agglomération nantaise sont traités sur le fond, pas seulement effleurés : politique, urbanisme, économie, social, vie collective… Le succès croissant de cette formule a conduit plusieurs grandes villes à approcher Thierry Guidet pour créer chez elles une édition spéciale de *Place publique*.

Mon hôte n'a pas pour autant attrapé la grosse tête. Au matin, nous prenons un petit déjeuner comme je les aime : thé ou café, tartines et tout le temps nécessaire. Nous partons ensuite faire une marche sur les bords de l'Erdre, par un de ces lumineux ciels d'ouest, malgré la présence de quelques nuages. Le sentier sinue sous le couvert des arbres qui tamisent la lumière. Près de la berge, quelques vaguelettes jettent mille éclairs et font danser les ombres sous la futaie. Sur le plan d'eau, des bateaux régatent, toutes voiles dehors. Des canards s'enfuient bruyamment à notre approche, mais c'est du cinéma. Habitués aux nombreux piétons, ils s'arrêtent après deux ou trois battements d'ailes. Un petit château dont l'accès est défendu par un grillage à moutons est posé sur une pelouse. Dommage, pour un peu on se sentirait châtelains. Nous marchons lentement et parlons tranquillement. Retour au calme après la hâte des dernières étapes et déjeuner serein avec son épouse dans le jardin.

Comment décrire les deux heures que je passe avec Luc Vidal, un fou de poésie difficile à cerner? Cet ancien instituteur, métamorphosé au fil des années en éditeur, s'intéresse à la chanson en général et à Léo Ferré en particulier. Il me parle du marais de la Brière et des Mauves, des levers de soleil rouge à Ancenis en automne, de Balzac, de Du Bellay, d'Hervé Bazin et de René-Guy Cadou, des civelles qu'il pêchait autrefois, bref de la Loire.

Le temps presse et il me faut achever mon voyage, fermer la ronde des amis qui s'est formée depuis la source du fleuve. C'est chez Alain et Annie Richard, parents d'un jeune et néanmoins vieil ami Philippe, que j'ai le plaisir de boucler le cercle. Alain rêvait d'être mécanicien de marine. Il a réussi l'examen d'entrée, mais pas l'examen médical. Il n'avait qu'un rein et la marine n'en a pas voulu. «Je n'étais pas entier», dit-il avec un petit sourire contraint. Alors il a fait carrière dans le dessin industriel. C'est à la retraite qu'il revient vers ses amours: les bateaux et l'eau salée. Alain assure bénévolement l'entretien des bateaux d'un club de voile-aviron, le CNSL. Son perfectionnisme fait merveille. Il me montre avec fierté deux kayaks de contreplaqué, élégants et légers, qu'il a construits de ses mains. Il a ensuite mis les supports techniques et les bancs de montage à la disposition de ceux qui souhaitaient construire leur propre kayak. Dès l'aube, Alain file aux hangars du club au grand dam de son épouse qui ne le voit guère plus que du temps où il allait au bureau. Néanmoins les habitudes ont la vie dure. Bien que tous deux à la retraite – et donc tous les jours en vacances –, c'est uniquement le dimanche matin qu'ils font la grasse matinée.

Je ne pouvais rêver meilleure fin de parcours que ces quelques heures passées avec Alain. Je trouve en lui un frère de vie. Il est la parfaite démonstration de ce que peut être une retraite harmonieuse pour un homme qui considère que chacun doit demeurer debout, même et surtout en fin de vie, rester un citoyen utile et non pas en «retrait», actif et non «inactif» comme les statistiques se plaisent à nous définir après une existence de labeur. Comme si le travail était plus important que la vie et les rêves, et méritait en conséquence ce préfixe «in» que le Petit Robert désigne comme «élément négatif». «Improductif» du point de vue d'un stakhanoviste, passe encore. Sauf que, pour un retraité, consacrer quelques heures par semaine pour donner des notions d'orthographe à un cancre consi-déré comme «perdu» par l'Éducation nationale est une activité hautement productive d'avenir.

Voici dix ans que je me bats pour faire passer cette idée qu'il y a une vie après la vie professionnelle. Que les «retrai-tés» ont leur mot à dire. Et que cette portion de notre exis-tence est l'occasion de revenir sur les carrefours que l'on a un peu ratés, poussés à hue et à dia par les événements, le hasard ou un rein en moins. Le travail, la famille, les enfants, tout cela nous ligote. Mais peut-on, jusqu'au bout, se passer de fantasmes, d'imagination, d'utopie, de rêve? Alain rêvait de vagues. En apportant son savoir-faire et une bonne partie de son temps libre à des personnes qui sont encore prises par leur activité professionnelle mais qui souhaitent cultiver leur passion pour le canotage, en déménageant sa boîte à outils dans la petite resserre qu'il m'a présentée avec fierté en un coin du hangar à bateaux, Alain a trouvé un sens à sa retraite. Et il n'éprouve naturel-lement pas l'envie de faire la grasse matinée tous les jours, privilège des individus sans espoir et sans imagination. Quant à moi, je veux bien faire la grasse matinée, mais sur une île de la Loire, en écoutant chanter le courant et le vent dans les feuilles des saules.

Nous dînons dans un restaurant en compagnie d'un autre couple. Bien entendu, nous parlons beaucoup de marche à pied, et je commence à raconter ma descente de la Loire. L'aventure a été belle et les rencontres, ils en sont la preuve, toujours chaleureuses et incroyablement variées. J'ai eu diablement raison de sortir de mon train-train. Le lendemain, avec une gentillesse et une simplicité placide qui me touchent, Alain m'accompagne jusqu'au pont où Canard m'attend. Nous le chargeons sur sa voiture équipée de sangles spéciales pour ses kayaks et retrouvons à la sortie de la ville ma sœur Michèle et son mari Raymond. Canard change de véhicule.

***

Sur le chemin du retour vers ma maison normande, je contemple, rêveur, le défilé des champs couverts de chaumes qui reflètent si bien les lumières dorées d'automne. Les feuilles des arbres jaunissent lentement. Le grand repos d'hiver se prépare. Je vais aussi me reposer de mes efforts sur le fleuve. J'ai finalement assez bien rempli le contrat que je m'étais assigné : partir en homme libre. Je n'ai jamais, au cours de mes aventures, recherché un support, un «sponsor» comme on dit, qui finance mes rêves ou me tienne la main. Toute aventure est comme la vie : elle est affaire individuelle. Nous sommes seuls. Les voyages en groupe ne sont que des garde-fous. On les croit protecteurs mais ce sont en réalité des écrans, des paravents.

En quittant le confort de mon foyer, je visais deux objectifs : tout d'abord me prouver que l'aventure ne réside pas seulement dans l'exotisme. Nul besoin, pour se dépayser, de s'envoler au bout du monde. L'important dans le voyage est de perdre volontairement ses repères pour mieux se retrouver. C'est d'aller vers de nouveaux horizons, et ils ne manquent pas dans notre environnement immédiat. Il y a quelques années, un journaliste du *Monde* avait proposé à sa direction le choix entre deux grands reportages à publier pendant les vacances : un tour du monde à raison d'un pays par jour, ou une plongée dans le métro parisien, en visitant une station chaque jour. Le tour du monde, à mon grand regret, a été choisi.

L'aventure est au coin de la rue. Ce n'est pas une question de kilomètres mais de regard. En descendant la Loire, j'ai eu mon compte de rencontres, de solitude, de peurs et de joies, de difficultés aussi, en naviguant durant cet été pourri. J'ai surtout eu l'occasion d'aller un peu plus loin en moi-même. À 70 ans, le risque est grand de considérer que c'est le bout de la route, que le trajet de vie va prendre fin. C'est absurde. La mort nous menace autant à 10 ou à 30 ans qu'à 70 ans. Là encore, c'est une question de statistique, mais il ne faut pas s'y fier, la mort, depuis la naissance, nous attend au coin de chaque rue, même s'il lui arrive de rater son mauvais coup. Attendre l'heure, son heure ? Non, il faut vivre.

Mon autre objectif était de me prouver que l'hospitalité n'est pas morte. Dans la société que ma génération a construite, l'individualisme a été érigé en dogme. La réussite était à ce prix. Chacun pour soi. On fermait son cœur pour remplir sa bourse. La télévision a achevé l'œuvre. Au travail, je suis seul et je réussirai seul et, le soir, je clos portes et volets et je vais visiter le monde à travers un écran. Un univers dominé par la violence et qui me conforte dans la volonté de me protéger. Ceux de mon âge, partis faire la guerre d'Algérie, ne sont pas rentrés au village où la convivialité et le bon voisinage étaient la règle. Ils ont pris le chemin des grandes villes et des chaînes de montage, ils ont payé leur salle de bains du prix de l'isolement. Dans ce monde, l'hospitalité perdait ses droits. Les médias, qui ont bien compris que la peur était vendeuse, ont fait monter l'angoisse comme une marée d'équinoxe. Tout ce qui m'est étranger est dangereux.

Dans ces conditions, mon aventure ligérienne ne me condamnait-elle pas à un chemin solitaire ? On a vu qu'il n'en a rien été. D'accord, j'ai un peu triché en envoyant un message pour mobiliser mes amis. Si j'étais allé spontanément et sans prévenir frapper à la porte de ceux qui m'ont reçu, j'aurais sans aucun doute essuyé quelques refus. Mais il y a aussi des portes qui se sont ouvertes spontanément, sans qu'il soit besoin d'un sauf-conduit ou d'une recommandation. Je l'ai dit, à une exception près, je ne connaissais aucune des personnes qui m'ont accueilli. Cette méfiance qui semble généralisée n'est pas un mur sans fissure. Il y a des passages. Certes, il restera toujours des égoïstes, des recroquevillés et des craintifs, blindés de la porte et du cœur. Tant pis, ils ne savent pas ce qu'ils perdent.

Le soir même, après six semaines de solitude peuplée de merveilleuses rencontres, me revoici à la maison. J'ai suspendu Canard dans la remise où je vais de temps à autre l'admirer et caresser ses bosses d'ancien combattant. Dans ces moments-là, je revois ces visages, ces levers de soleil, ces plages de sable blond et ces rapides qui portent tous le même nom de famille : la Loire. Après quoi je retourne à mon bureau contempler la pile des urgences qui se sont entassées.

La vie m'a repris.

CARNET D'AMITIÉS LIGÉRIENNES

Mes remerciements, ici, ne sont pas de pure forme. Je ne veux pas faire ces habituelles «lettres de château» que la bienséance impose lorsque l'on a été reçu par Mme la baronne. Je veux dire ici toute ma reconnaissance à ces inconnus d'hier, amis d'aujourd'hui, qui m'ont ouvert leur porte, accueilli, le plus souvent nourri et hébergé, par pur sens de l'hospitalité, cette qualité cardinale qui exclut toute préoccupation financière ou matérielle, cette vertu qui, dans un monde où rien ne se donne sans rien, échappe encore à la sphère de l'intérêt pour magnifier celle du don. Sans eux, cette descente de la montagne à la mer n'aurait été somme toute qu'un «trek», une «randonnée» au long d'un fleuve certes beau, parfois dangereux, «altier et capricieux» comme me l'a écrit une lectrice rennaise.

Mon chemin a été bien autre chose. J'ai été le maillon heureux de cette chaîne fraternelle, porté par le courant et par la chaleur de l'accueil qui m'était offert à chaque étape. Je ne limite pas ma reconnaissance à ceux qui m'ont accueilli, je l'étends à ceux qui avaient souhaité le faire. La rencontre n'a pu avoir lieu et j'en ai un grand regret. Mes remerciements chaleureux vont en particulier à ceux qui, ne me connaissant pas, car je ne leur avais été recommandé par personne, m'ont, à l'occasion d'une rencontre fortuite, ouvert leur porte, leur table et leur amitié sans barguigner.

Ayant cité les uns et les autres le plus souvent par leur prénom, voici ceux qui m'ont reçu ou ont souhaité le faire et m'ont accordé de l'intérêt et dix minutes, une heure ou un jour de leur temps.

Je leur dois six semaines de pur bonheur :

Marie (de Cherchemouss), Raymonde et Paul Pascal, Léon Jolivet, Bernard (de Freycenet), Patricia et Pascal (de Saint-Martin-de-Fugères), Simone Mourier, Michèle et Alain Brunon et leur fils Cyril, Emmanuel Gobillard, Louis (de Lavoûte-sur-Loire), Vincent (de Retournac), Christine et Allen (de Retournac), Alain Blanchet, Jocelyne Vey et Alain Bruel, Nathalie Clavier et Marc Bouquet, Jocelyne et Yves Dumas, Colette et Marcel Chambon, Franck Guillot et Fred, Alain (de Roanne), Aline et Serge Muret, Jean-Marc Laroche, Alain Borde, Michel Moiselet, Roger Rochard, Jean Lavergne, Évelyne Coquet et Frédéric Pignot, Dominique Audoux, Maryline et Éric Arsenault, Chantal et Alain Meunier, Cécile et Yann Bourret, Yvon Thibaudat, Jérôme Derangère, Anna Ruelle, Olivier Morin, Emmanuelle Somer, Colette et Pierre Rahard, Marie-Ange et Marc Chaurin, Hervé Chesneau, Nadine et Georges Bastenti, Gaétane et Roland Adam, Françoise et Daniel Bellier, Marie-Thérèse (de La Gariguette*), Bénédicte Flatet, Brigitte et Joël-Érick Tarrida, Martine Le Coz, Marie-Ève et Olivier de Serre, Monique et Jean-Pierre Dougnac, Martine et Dominique Gerbaud, Valérye et Jean-Daniel (de Montlouis), Marie-Paule et Claude Bruel, Geneviève Besse, Michèle et François Bon, Martine et Yannick Favro, Jean-Jacques Martin, Michèle et Guy Dufort, Marie-Claude Josselin, Françoise et Guy Prunières, Marc Belloy, Nathalie et Thomas Richard-Gardeil, Virginie et Éric Noël, Michel Cornély, Jean-Claude Euxibe, Serge Marais,*

Alex Fagat, Jacques Bertin, Francis Delaunay, Pierre Boquien, Guy Lorant, Thierry Guidet, Luc Vidal, Hervé Bienvault, Annie et Alain Richard, Maryvonne et Jacques Belliot.

Je n'aurais pu prendre autant de plaisir à cette petite aventure si des amis, connus et inconnus, ne m'avaient tracé cette merveilleuse route d'amitiés en m'offrant des étapes toujours chaleureuses. C'est pourquoi je remercie infiniment tous ceux qui m'ont mis en contact avec leurs propres amis :

Mahdi Alioui, Thomas Bastenti, Hervé Bellec, Maryvonne et Jacques Belliot, Jérome Bourgine, Gaëlle de la Brosse, Yves Deroubaix, Marie-Hélène Eichenlaub, Philippe Fenwick, Marie-Hélène Fraïsse, Pierre Gabe, Thierry Gautier, Florence de Haas, Philippe Jamain, Michèle Languille, Sofy Leddet, Corinne Olivier, Gilbert Perrin, Évelyne et Philippe Richard, Marielle Roques, Chantal Segais, Chantal Uytterhaegen, René Vigan, Françoise et John Wilson, Ariane Wilson.

Je suis par nature très mal organisé et tête en l'air. Si, par distraction, j'ai oublié quelqu'un ou quelqu'une, qu'il ou elle veuille bien me pardonner.

SEUIL

L'association Seuil propose à des adolescents en grande difficulté des longues marches de rupture (2 000 km).

Seuil travaille en symbiose avec les services départementaux de l'Aide sociale à l'enfance ou du ministère de la Justice (Protection judiciaire de la jeunesse). Certains jeunes menacés d'enfermement peuvent accomplir une marche plutôt que d'aller en prison ou en centre éducatif fermé (CEF). Néanmoins, des marches sont aussi proposées de manière préventive pour des jeunes en difficulté qui ne trouvent pas dans les structures classiques de solution à leur mal-être.

Seuil – Association (loi 1901)
31, rue Planchat
75020 Paris.
Tél. : 33 (0)1 44 27 09 88
Fax : 33 (0)1 40 46 01 97
Courriel : assoseuil@wanadoo.fr
Site internet : assoseuil.org

TABLE